ELSE LASKER-SCHÜLER · SÄMTLICHE GEDICHTE

ELSE LASKER-SCHÜLER

# SÄMTLICHE GEDICHTE

KÖSEL-VERLAG MÜNCHEN

HERAUSGEGEBEN VON FRIEDHELM KEMP

CIP-Kurztitelaufnahme der Deutschen
Bibliothek

**Lasker-Schüler, Else**
Sämtliche Gedichte / hrsg. von Friedhelm
Kemp. – München: Kösel, 1977.
ISBN 3-466-10120-4

© 1966 by Kösel-Verlag KG, München. Printed in Germany.
Druck: Kösel, Kempten. Bindung: Kösel, Kempten. Ent-
wurf des Umschlags: Gerhard M. Hotop, München, unter
Verwendung der Umschlagzeichnung von Else Lasker-Schüler
zur Erstausgabe des Bandes »Hebräische Balladen« [1913].

# INHALT

# STYX

CHRONICA

*(Meinen Schwestern zu eigen)*

Mutter und Vater sind im Himmel
Und sprühen ihre Kraft
An singenden Fernen vorbei,
An spielenden Sternen vorbei
    Auf mich nieder.
Himmel bebender Leidenschaft
    Prangen auf,
O, meine ganze Sehnsucht reisst sich auf
Durch goldenes Sonnenblut zu gleiten!
Fühle Mutter und Vater wiederkeimen
Auf meinen ahnungsbangen Mutterweiten.
    Drei Seelen breiten   .
Aus stillen Morgenträumen
Zum Gottland ihre Wehmut aus.
Denn drei sind wir Schwestern,
Und die vor mir träumten schon in Sphinxgestalten
    Zu Pharaozeiten.
Mich formte noch im tiefsten Weltenschooss
    Die schwerste Künstlerhand.
Und wisset, wer meine Brüder sind!
Sie waren die drei Könige, die gen Osten zogen
Dem weissen Sterne nach durch brennenden Wüstenwind.
Aber acht Schicksale wucherten aus unserem Blut
Und lauern hinter unseren Himmeln:
Vier plagen uns im Abendrot,
Vier verdunkeln uns die Morgenglut,
Sie brachten über uns Hungersnot
Und Herzensnot und Tod!
Und es steht:
Ueber unserem letzten Grab ihr Fortleben noch,
Den Fluch über alle Welten zu weben,
Sich ihres Bösen zu freuen.
Aber die Winde werden einst ihren Staub scheuen.
    Satanas miserere eorum!!

## MUTTER

Ein weisser Stern singt ein Totenlied
    In der Julinacht,
Wie Sterbegeläut in der Julinacht.
Und auf dem Dach die Wolkenhand,
Die streifende, feuchte Schattenhand
Sucht nach meiner Mutter.
Ich fühle mein nacktes Leben,
Es stösst sich ab vom Mutterland,
So nackt war nie mein Leben,
So in die Zeit gegeben,
Als ob ich abgeblüht
Hinter des Tages Ende,
    Versunken
Zwischen weiten Nächten stände,
Von Einsamkeiten gefangen.
Ach Gott! Mein wildes Kindesweh!
...Meine Mutter ist heimgegangen.


## WELTFLUCHT

Ich will in das Grenzenlose
    Zu mir zurück,
Schon blüht die Herbstzeitlose
    Meiner Seele,
Vielleicht – ist's schon zu spät zurück!
O, ich sterbe unter Euch!
Da Ihr mich erstickt mit Euch.
Fäden möchte ich um mich ziehn –
Wirrwarr endend!
    Beirrend,
Euch verwirrend,
    Um zu entfliehn
        Meinwärts!

EIFERSUCHT

Denk' mal, wir beide
Zwischen feurigem Zigeunervolk
    Auf der Haide!
Ich zu Deinen Füßen liegend,
Du die Fiedel spielend,
    Meine Seele einwiegend,
Und der brennende Steppenwind
    Saust um uns!

... Aber die Mariennacht verschmerz' ich nicht!
    Die Mariennacht –
Da ich Dich sah
    Mit der Einen...
Wie duftendes Schneien
    Fielen die Blüten von den Bäumen.
Die Mariennacht verschmerz' ich nicht,
Die blonde Blume in Deinen Armen nicht!

FRÜHLING

Wir wollen wie der Mondenschein
Die stille Frühlingsnacht durchwachen,
Wir wollen wie zwei Kinder sein,
Du hüllst mich in Dein Leben ein
Und lehrst mich so, wie Du, zu lachen.

Ich sehnte mich nach Mutterlieb'
Und Vaterwort und Frühlingsspielen,
Den Fluch, der mich durch's Leben trieb,
Begann ich, da er bei mir blieb,
Wie einen treuen Feind zu lieben.

Nun blühn die Bäume seidenfein
Und Liebe duftet von den Zweigen.
Du mußt mir Mutter und Vater sein
Und Frühlingsspiel und Schätzelein!
– – Und ganz mein Eigen...


## DIE SCHWARZE BHOWANÉH
*(Die Göttin der Nacht)*
*(Zigeunerlied)*

Meine Lippen glühn
Und meine Arme breiten sich aus wie Flammen!
Du mußt mit mir nach Granada ziehn
In die Sonne, aus der meine Gluten stammen...
Meine Ader schmerzt
Von der Wildheit meiner Säfte,
Von dem Toben meiner Kräfte.

Granatäpfel prangen
Heiss, wie die Lippen der Nacht!
Rot, wie die Liebe der Nacht!
Wie der Brand meiner Wangen.

Auf dem dunklen Schein
Meiner Haut schillern Muscheln auf Schnüre gezogen,
Und Perlen von sonnenfarb'gem Bernstein
Durchglühn meine Zöpfe wie Feuerwogen.
Meine Seele bebt,
Wie eine Erde bebt und sich aufthut
Dürstend nach Luft! Nach säuselnder Flut!

Heisse Winde stöhnen,
Wie der Odem der Sehnsucht,
Verheerend wie die Qual der Sehnsucht...
Und über die Felsen Granadas dröhnen
Die Lockrufe der schwarzen Bhowanéh!

## MEINE SCHAMRÖTE

Du! Sende mir nicht länger den Duft,
Den brennenden Balsam
Deiner süssen Gärten zur Nacht!
Auf meinen Wangen blutet die Scham
Und um mich zittert die Sommerluft.

Du ... wehe Kühle auf meine Wangen
Aus duftlosen, wunschlosen
Gräsern zur Nacht.
Nur nicht länger den Hauch Deiner sehnenden Rosen,
    Er quält meine Scham.

## TRIEB

Es treiben mich brennende Lebensgewalten,
Gefühle, die ich nicht zügeln kann,
Und Gedanken, die sich zur Form gestalten,
Fallen mich wie Wölfe an!

Ich irre durch duftende Sonnentage ...
Und die Nacht erschüttert von meinem Schrei.
Meine Lust stöhnt wie eine Marterklage
Und reisst sich von ihrer Fessel frei.

Und schwebt auf zitternden, schimmernden Schwingen
Dem sonn'gen Thal in den jungen Schoss,
Und läßt sich von jedem Mai'nhauch bezwingen
Und giebt der Natur sich willenlos.

## SYRINXLIEDCHEN

Die Palmenblätter schnellen wie Viperzungen
In die Kelche der roten Gladiolen,
Und die Mondsichel lacht
Wie ein Faunsaug' verstohlen.

Die Welt hält das Leben umschlungen
Im Strahl des Saturn
Und durch das Träumen der Nacht
Sprüht es purpurn.

Jüx! Wollen uns im Schilfrohr
Mit Binsen aneinander binden
Und mit der Morgenröte Frühlicht
Den Süden unserer Liebe ergründen!


## NERVUS EROTIS

Dass uns nach all' der heissen Tagesglut
Nicht eine Nacht gehört...
Die Tuberosen färben sich mit meinem Blut,
Aus ihren Kelchen lodert's brandrot!

Sag' mir, ob auch in Nächten Deine Seele schreit,
Wenn sie aus bangem Schlummer auffährt,
Wie wilde Vögel schreien durch die Nachtzeit.

Die ganze Welt scheint rot,
Als ob des Lebens weite Seele blutet.
Mein Herz stöhnt wie das Leid der Hungersnot,
Aus roten Geisteraugen stiert der Tod!

Sag' mir, ob auch in Nächten Deine Seele klagt,
Vom starken Tuberosenduft umflutet,
Und an dem Nerv des bunten Traumes nagt.

## WINTERNACHT
*(Cellolied)*

Ich schlafe tief in starrer Winternacht,
Mir ist, ich lieg' in Grabesnacht,
Als ob ich spät um Mitternacht gestorben sei
Und schon ein Sternenleben tot sei.

Zu meinem Kinde zog mein Glück
Und alles Leiden in das Leid zurück,
Nur meine Sehnsucht sucht sich heim
Und zuckt wie zähes Leben
Und stirbt zurück
        In sich.

Ich schlafe tief in starrer Winternacht,
Mir ist, ich lieg' in Grabesnacht.


## URFRÜHLING

Sie trug eine Schlange als Gürtel
Und Paradiesäpfel auf dem Hut,
Und meine wilde Sehnsucht
Raste weiter in ihrem Blut.

Und das Ursonnenbangen,
Das Schwermüt'ge der Glut
Und die Blässe meiner Wangen
Standen auch ihr so gut.

Das war ein Spiel der Geschicke
Ein's ihrer Rätseldinge...
Wir senkten zitternd die Blicke
In die Märchen unserer Ringe.

Ich vergass meines Blutes Eva
Ueber all' diesen Seelenklippen,
Und es brannte das Rot ihres Mundes,
Als hätte ich Knabenlippen.

Und das Abendröten glühte
Sich schlängelnd am Himmelssaume,
Und vom Erkenntnisbaume
Lächelte spottgut die Blüte.


## MAIROSEN

*(Reigenlied für die großen Kinder)*

Er hat seinen heiligen Schwestern versprochen,
Mich nicht zu verführen,
Zwischen Mairosen hätte er fast
    Sein Wort gebrochen,
Aber er machte drei Kreuze
Und ich glaubte heiss zu erfrieren.

Nun lieg' ich im düst'ren Nadelwald,
Und der Herbst saust kalte Nordostlieder
Ueber meine Lenzglieder.

Aber wenn es wieder warm wird,
Wünsch' ich den heiligen Schwestern beid'
    Hochzeit
Und wir – spielen dann unter den Mairosen...

## DANN

...Dann kam die Nacht mit Deinem Traum
Im stillen Sternebrennen.
Und der Tag zog lächelnd an mir vorbei,
Und die wilden Rosen atmeten kaum.

Nun sehn' ich mich nach Traumesmai,
Nach Deinem Liebeoffenbaren.
Möchte an Deinem Munde brennen
Eine Traumzeit von tausend Jahren.

## ABEND

Es riss mein Lachen sich aus mir,
Mein Lachen mit den Kinderaugen,
Mein junges, springendes Lachen
Singt Tag der dunklen Nacht vor Deiner Thür.

Es kehrte aus mir ein, in Dir
Zur Lust Dein Trübstes zu entfachen –
Nun lächelt es wie Greisenlachen
        Und leidet Jugendnot.
Mein tolles, übermütiges Frühlingslachen
        Träumt von Tod.

## KARMA

Hab' in einer sternlodernden Nacht
Den Mann neben mir um's Leben gebracht.

Und als sein girrendes Blut gen Morgen rann,
Blickte mich düster sein Schicksal an.

ORGIE

Der Abend küsste geheimnisvoll
   Die knospenden Oleander.
Wir spielten und bauten Tempel Apoll
Und taumelten sehnsuchtsübervoll
   Ineinander.
Und der Nachthimmel goss seinen schwarzen Duft
In die schwellenden Wellen der brütenden Luft,
   Und Jahrhunderte sanken
   Und reckten sich
  Und reihten sich wieder golden empor
  Zu sternenverschmiedeten Ranken.
Wir spielten mit dem glücklichsten Glück,
Mit den Früchten des Paradiesmai,
Und im wilden Gold Deines wirren Haars
Sang meine tiefe Sehnsucht
   Geschrei,
Wie ein schwarzer Urwaldvogel.
Und junge Himmel fielen herab,
Unersehnbare, wildsüsse Düfte;
Wir rissen uns die Hüllen ab
   Und schrieen!
Berauscht vom Most der Lüfte.
Ich knüpfte mich an Dein Leben an,
Bis dass es ganz in ihm zerrann,
Und immer wieder Gestalt nahm
Und immer wieder zerrann.
Und unsere Liebe jauchzte Gesang,
Zwei wilde Symphonieen!

## FIEBER

Es weht von Deinen Gärten her der Duft,
Wie trockner Südwind über mein Gesicht.
O, diese heisse Not in meiner Nacht!
Ich trinke die verdorrte Feuerluft
   Meiner Brände.

Aus meinem schlummerlosen Auge flammt
Ein grelles, ruheloses Licht,
Wie Irrlichtflackern durch die Nacht.
Ich weiß, ich bin verdammt
Und fall' aus Himmelshöhen in Deine Hände.


## DASEIN

Hatte wogendes Nachthaar,
Liegt lange schon wo begraben.
Hatte zwei Augen wie Bäche klar,
Bevor die Trübsal mein Gast war,
Hatte Hände muschelrotweiss,
Aber die Arbeit verzehrte ihr Weiss.
Und einmal kommt der Letzte,
Der senkt den unabänderlichen Blick
Nach meines Leibes Vergänglichkeit
Und wirft von mir alles Sterben.
Und es atmet meine Seele auf
Und trinkt das Ewige...

## SINNENRAUSCH

Dein sünd'ger Mund ist meine Totengruft,
Betäubend ist sein süsser Atemduft,
Denn meine Tugenden entschliefen.
Ich trinke sinnberauscht aus seiner Quelle
Und sinke willenlos in ihre Tiefen,
Verklärten Blickes in die Hölle.

Mein heisser Leib erglüht in seinem Hauch,
Er zittert, wie ein junger Rosenstrauch,
Geküsst vom warmen Maienregen.
– Ich folge Dir ins wilde Land der Sünde
Und pflücke Feuerlilien auf den Wegen,
– Wenn ich die Heimat auch nicht wiederfinde ...


## SEIN BLUT

Am liebsten pflückte er meines Glückes
         Letzte Rose im Maien
Und würfe sie in den Rinnstein.
         ... Sein Blut plagt ihn.

Am liebsten lockte er meiner Seele
         Zitternden Sonnenstrahl
In seine düst're Nächtequal.

Am liebsten griff er mein spielendes Herz
         Aus wiegendem Lenzhauch
Und hing es auf wo an einem Dornstrauch.
         ... Sein Blut plagt ihn.

## VIVA!

Mein Wünschen sprudelt in der Sehnsucht meines Blutes
Wie wilder Wein, der zwischen Feuerblättern glüht.
Ich wollte, Du und ich, wir wären eine Kraft,
Wir wären eines Blutes
Und ein Erfüllen, eine Leidenschaft,
Ein heisses Weltenliebeslied!

Ich wollte, Du und ich, wir würden uns verzweigen,
Wenn sonnentoll der Sommertag nach Regen schreit
Und Wetterwolken bersten in der Luft!
Und alles Leben wäre unser Eigen;
Den Tod selbst rissen wir aus seiner Gruft
Und jubelten durch seine Schweigsamkeit!

Ich wollte, dass aus unserer Kluft sich Massen
Wie Felsen aufeinandertürmen und vermünden
In einen Gipfel, unerreichbar weit!
Dass wir das Herz des Himmels ganz erfassen
Und uns in jedem Hauche finden
Und überstrahlen alle Ewigkeit!

Ein Feiertag, an dem wir ineinanderrauschen,
Wir beide ineinanderstürzen werden,
Wie Quellen, die aus steiler Felshöh' sich ergiessen
In Wellen, die dem eignen Singen lauschen
Und plötzlich niederbrausen und zusammenfliessen
In unzertrennbar, wilden Wasserheerden!


## EROS

O, ich liebte ihn endlos!
Lag vor seinen Knie'n
Und klagte Eros
    Meine Sehnsucht.

O, ich liebte ihn fassungslos.
Wie eine Sommernacht
    Sank mein Kopf
Blutschwarz auf seinen Schoss
Und meine Arme umloderten ihn.
Nie schürte sich so mein Blut zu Bränden,
Gab mein Leben hin seinen Händen,
Und er hob mich aus schwerem Dämmerweh.
Und alle Sonnen sangen Feuerlieder
    Und meine Glieder
  Glichen
    Irrgewordenen Lilien.

## DEIN STURMLIED

Brause Dein Sturmlied Du!
Durch meine Liebe,
Durch mein brennendes All.
Verheerend, begehrend,
    Dröhnend wiedertönend
    Wie Donnerhall!

Brause Dein Sturmlied Du!
Und lösche meine Feuersbrunst,
Denn ich ersticke in Flammendunst.
Mann mit den ehernen Zeusaugen,
    Grolle Gewitter,
Entlade Wolken auf mich.
Und wie eine Hochsommererde
    Werde ich
    Aufsehnend
Die Ströme einsaugen.
Brause Dein Sturmlied Du!

## DAS LIED DES GESALBTEN

Zebaoth spricht aus dem Abend:
Verschwenden sollst Du mit Liebe!
Denn ich will Dir Perlen meiner Krone schenken,
In goldträufelnden Honig Dein Blut verwandeln
Und Deine Lippen mit den Düften süßer Mandeln tränken.

Verschwenden sollst Du mit Liebe!
Und mit schmelzendem Jubel meine Feste umgolden
Und die Schwermut, die über Jerusalem trübt,
Mit singenden Blütendolden umkeimen.

Ein prangender Garten wird Dein Herz sein,
Darin die Dichter träumen.
O, ein hängender Garten wird Dein Herz sein,
Aller Sonnen Aufgangheimat sein,
Und die Sterne kommen, ihren Flüsterschein
Deinen Nächten sagen.
Ja, tausend greifende Aeste werden Deine Arme tragen,
Und meinem Paradiesheimweh wiegende Troste sein!


## SULAMITH

O, ich lernte an Deinem süssen Munde
Zu viel der Seligkeiten kennen!
Schon fühl' ich die Lippen Gabriels
      Auf meinem Herzen brennen...
Und die Nachtwolke trinkt
Meinen tiefen Cederntraum.
O, wie Dein Leben mir winkt!
      Und ich vergehe
Mit blühendem Herzeleid
Und verwehe im Weltraum,
      In Zeit,
      In Ewigkeit,
Und meine Seele verglüht in den Abendfarben
      Jerusalems.

## KÜHLE

In den weißen Gluten
Der hellen Rosen
Möchte ich verbluten.

Doch auf den Teichen
Warten die starren, seelenlosen Wasserrosen,
Um meiner Sehnsucht Kühle zu reichen.

## CHAOS

Die Sterne fliehen schreckensbleich
Vom Himmel meiner Einsamkeit,
Und das schwarze Auge der Mitternacht
Starrt näher und näher.

Ich finde mich nicht wieder
In dieser Todverlassenheit!
Mir ist: ich lieg' von mir weltenweit
Zwischen grauer Nacht der Urangst...

Ich wollte, ein Schmerzen rege sich
Und stürze mich grausam nieder
Und riß mich jäh an mich!
Und es lege eine Schöpferlust
Mich wieder in meine Heimat
      Unter der Mutterbrust.

Meine Mutterheimat ist seeleleer,
Es blühen dort keine Rosen
Im warmen Odem mehr. –
.... Möcht einen Herzallerliebsten haben!
Und mich in seinem Fleisch vergraben.

## MEIN BLICK

Ich soll Dich anseh'n,
    Immerzu.
Aber mein Blick irrt über alles Sehen weit,
Floh himmelweit, ferner als die Ewigkeit.
Du! locke ihn mit Deiner Sehnsucht Sonnenschein, –
Er wird mir selbst ein Hieroglyph geworden sein.


## LENZLEID

Dass Du Lenz gefühlt hast
Unter meiner Winterhülle,
Dass Du den Lenz erkannt hast
    In meiner Todstille.
Nicht wahr, das ist Gram
Winter sein, eh' der Sommer kam,
Eh' der Lenz sich ausgejauchzt hat.

O, Du! schenk' mir Deinen gold'nen Tag
Von Deines Blutes blühendem Rot.
Meine Seele friert vor Hunger,
Ist satt vom Reif.
O, Du! giesse Dein Lenzblut
    Durch meine Starre,
Durch meinen Scheintod.
    Sieh, ich harre
Schon Ewigkeiten auf Dich!

## VERDAMMNIS

Krallen reissen meine Glieder auf
Und Lippen nagen an meinem Traumschlaf.
Weh Deinem Schicksal und dem meinen,
Das sich im Zeichen böser Sterne traf.
Meine Sehnsucht schreit zu diesen Sternen auf
Und erstarrt im Morgenscheinen –
        Und ich weine
        Zu den Höllen.

Schenk' mir Deine Arme eine Nacht,
Die so frischen Odem strömen
Wie zwei nordische Meereswellen.
Dass, wenn ich aus Finsternis erwacht,
Mich nicht böse Geister treten,
Ich nicht einsam bin mit meinem Grämen.
Zu den Himmeln fleh' ich jede Nacht,
Doch der Satan hetzt die Teufel auf mein Beten.

## WELTSCHMERZ

Ich, der brennende Wüstenwind,
Erkaltete und nahm Gestalt an.

Wo ist die Sonne, die mich auflösen kann,
Oder der Blitz, der mich zerschmettern kann!

Blick' nun: ein steinernes Sphinxhaupt,
Zürnend zu allen Himmeln auf.

Hab' an meine Glutkraft geglaubt.

## MEIN DRAMA

Mit allen duftsüssen Scharlachblumen
Hat er mich gelockt,
Keine Nacht mehr hielt ich es im engen Zimmer aus,
Liebeskrumen stahl ich mir vor seinem Haus
Und sog mein Leben, ihn ersehnend, aus.
Es weint ein blasser Engel leis' in mir
Versteckt – ich glaube tief in meiner Seele,
    Er fürchtet sich vor mir.
Im wilden Wetter sah ich mein Gesicht!
Ich weiß nicht wo, vielleicht im dunklen Blitz,
Mein Auge stand wie Winternacht im Antlitz,
Nie sah ich grimmigeres Leid.
... Mit allen duftsüssen Scharlachblumen
    Hat er mich gelockt,
Es regt sich wieder weh in meiner Seele
Und leitet mich durch all' Erinnern weit.
Sei still, mein wilder Engel mein,
    Gott weine nicht
    Und schweige von dem Leid,
Mein Schmerzen soll sich nicht entladen,
Keinen Glauben hab' ich mehr an Weib und Mann,
Den Faden, der mich hielt mit allem Leben,
Hab' ich der Welt zurückgegeben
    Freiwillig!
Aus allen Sphinxgesteinen wird mein Leiden brennen,
Um alles Blühen lohen, wie ein dunkler Bann.
Ich sehne mich nach meiner blind verstoss'nen Einsamkeit,
Trostsuchend, wie mein Kind, sie zu umfassen,
Lernte meinen Leib, mein Herzblut und ihn hassen,
    Nie so das Evablut kennen
    Wie in Dir, Mann!

## STERNE DES FATUMS

Deine Augen harren vor meinem Leben
Wie Nächte, die sich nach Tagen sehnen,
Und der schwüle Traum liegt auf ihnen
    Unergründet.

Seltsame Sterne starren zur Erde,
Eisenfarb'ne mit Sehnsuchtsschweifen,
Mit brennenden Armen, die Liebe suchen
Und in die Kühle der Lüfte greifen.

Sterne in denen das Schicksal mündet.


## STERNE DES TARTAROS

Warum suchst Du mich in unseren Nächten
In Wolken des Hasses auf bösen Sternen!
Lass mich allein mit den Geistern fechten.

Sie schnellen vorbei auf Geyerschwingen
Aus längst vergess'nen Wildlandfernen.
Eiswinde durch Lenzessingen.

Und Du vergisst die Gärten der Sonne
Und blickst gebannt in die Todestrübe.
Ach, was irrst Du hinter meiner Not!


## DU, MEIN

*(Meinem Bruder Paul zu eigen)*

Der Du bist auf Erden gekommen,
    Mich zu erlösen
        Aus aller Pein,
    Aus meiner Furie Blut,

Du, der Du aus Sonnenschein
    Geboren bist,
Vom glücklichsten Wesen
    Der Gottheit
    Genommen bist,
Nimm mein Herz zu Dir
    Und küsse meine Seele
    Vom Leid
      Frei.


## FORTISSIMO

Du spieltest ein ungestümes Lied,
Ich fürchtete mich nach dem Namen zu fragen,
Ich wusste, er würde das alles sagen,
Was zwischen uns wie Lava glüht.

Da mischte sich die Natur hinein
In unsere stumme Herzensgeschichte,
Der Mondvater lachte mit Vollbackenschein,
Als machte er komische Liebesgedichte.

Wir lachten heimlich im Herzensgrund,
Doch unsere Augen standen in Thränen
Und die Farben des Teppichs spielten bunt
In Regenbogenfarbentönen.

Wir hatten beide dasselbe Gefühl,
Der Smyrnateppich wäre ein Rasen,
Und die Palmen über uns fächelten kühl,
Und unsere Sehnsucht begann zu rasen.

Und unsere Sehnsucht riss sich los
Und jagte uns mit Blutsturmwellen:
Wir sanken in das Smyrnamoos
Urwild und schrieen wie Gazellen.

## DER GEFALLENE ENGEL
*(St. Petrus Hille zu eigen)*

Des Nazareners Lächeln strahlt aus Deinen Mienen,
Und meine Lippen öffnen sich mit Zagen,
Wie gift'ge Blüten, die dem Satan dienen
Und scheu den Lenzwind nach dem Himmel fragen.
Die heisse Sehnsucht hat mich tief gebräunt,
In kühler Not erstarrte meine Seele,
Ein Wetter stählte mein Gewissen!

Es wachsen Sträucher blütenlos auf meinen Wegen
Wie Schatten, die verbot'ne Thaten werfen,
Und meine Träume tränkt ein blut'ger Regen
Und reizt mit seinem Schein zum Laster meine Nerven.
Die Unschuld hat an meinem Bett geweint,
Und rang und klagte dann um meine Seele
Und pflanzte Trauerrosen um mein Kissen.

Siehst Du den Kettenring an meinem Finger –
Sein Stein erblindete, sein blaues Scheinen,
Vielleicht verlor ihn mal ein Gottesjünger
Auf seinem Pfade hoch in Felsgesteinen.
Und diese roten, feurigen Granaten
Gab mir ein Königgreis für meine Nächte,
Wie heisse Tropfen auf die Schnur gereiht.

Der Sonnenuntergang erzählt im Westen
Von späten Rosen, die ergrauen müssen
Im Herbste unter morschem Laub und Aesten,
Und nichts vom Sonnenglanz des Sommers wissen,
Als Sünderinnen sterben für die Thaten
Der eitelen Natur, die duften möchte
Noch in der späten Winterabendzeit.

Darf ich mit Dir auf weiten Höhen schreiten!
Hand in Hand, Du und ich, wie Kinder...
Wenn aus dem Abendhimmel wilde Sterne gleiten

Durch's tiefe Blauschwarz, wie verstoss'ne Sünder,
Und scheu in Gärten fallen, die voll Orchideen
Und stummen Blüten steh'n
In gold'nen Hüllen.

Und in den Kronen schlanker Märchenbäume
Harrt meine Unschuld unter Wolkenflor,
Und meine ersten, holden Kinderträume
Erwachen vor dem gold'nen Himmelsthor.
Und wenn wir einst ins Land des Schweigens gehen,
Der schönste Engel wird mein Heil erfleh'n
Um Deiner Liebe willen.

## MEIN KIND

Mein Kind schreit auf um die Mitternacht
Und ist so heiss aus dem Traum erwacht
Wie meine sehnende Jugend.

Gäb' ihm so gern meines Blutes Mai,
Spräng' nur mein bebendes Herz entzwei.

– Der Tod schleicht im Hyänenfell
Am Himmelsstreif im Mondeshell.

Aber die Erde im Blütenkeusch
Singt Lenz im kreisenden Weltgeräusch.

Und wundersüss küsst der Maienwind
Als duftender Gottesbote mein Kind.

'Αθάνατοι

Du, ich liebe Dich grenzenlos!
Über alles Lieben, über alles Hassen!
Möchte Dich wie einen Edelstein
In die Strahlen meiner Seele fassen.
Leg' Deine Träume in meinen Schoss,
Ich liess ihn mit goldenen Mauern umschliessen
Und ihn mit süssem griechischem Wein
Und mit dem Oele der Rosen begiessen.

O, ich flog nach Dir wie ein Vogel aus,
In Wüstenstürmen, in Meereswinden,
In meiner Tage Sonnenrot,
In meiner Nächte Stern Dich zu finden.
Du! breite die Kraft Deines Willens aus,
Dass wir über alle Herbste schweben,
Und Immergrün schlingen wir um den Tod
Und geben ihm Leben.


SELBSTMORD

Wilde Fratzen schneidet der Mond in den Sumpf
        Und dumpf
            Kreist die Welt.
Hätt' ich nur die Welt überstanden!
Damals als wir uns beide fanden
Blickte auch die Natur so gemein,
Aber dann kam der Sonnenschein
Und sang sein Strahlenlied
        Bis über den Norden.

Nun nagt der Maulwurf an Deinem Gebein,
In der Truhe heult die rote Katze.
Ein Kater schlich, sie lustzumorden
Aus vollmondblutendem Abendschein.

Wie die Nacht voll grausamer Sehnsucht blüht!
Der Tod selbst fürchtet sich zu zwei'n
Und kriecht in seinen Erdenschrein,
Aber – ich pack' ihn mit meiner Tatze!


## MORITURI

Du hast ein dunkles Lied mit meinem Blut geschrieben,
Seitdem ist meine Seele jubellahm.
Du hast mich aus dem Rosenparadies vertrieben,
Ich musst sie lassen, Alle, die mich lieben.
Gleich einem Vagabund jagt mich der Gram.

Und in den Nächten, wenn die Rosen singen,
Dann brütet still der Tod – ich weiss nicht was –
Ich möchte Dir mein wehes Herze bringen,
Den bangen Zweifel und mein müh'sam Ringen
Und alles Kranke und den Hass!


## JUGEND

Ich hört Dich hämmern diese Nacht
An einem Sarg im tiefen Erdenschacht.
Was willst Du von mir, Tod!
Mein Herz spielt mit dem jungen Morgenrot
Und tanzt im Funkenschwarm der Sonnenglut
Mit all den Blumen und der Sommerlust.

Scheer' Dich des Weges, alter Nimmersatt!
Was soll ich in der Totenstadt,
Ich, mit dem Jubel in der Brust!!

## MEINLINGCHEN

*(Meinem Jungen zu eigen)*

Meinlingchen sieh mich an –
Dann schmeicheln tausend Lächeln mein Gesicht,
Und tausend Sonnenwinde streicheln meine Seele,
Hast wie ein Wirbelträumchen
Unter ihren Fittichen gelegen.

Nie war so lenzensüß mein Blut,
Als Dich mein Odem tränkte,
Die Quellen Edens müssen so geduftet haben
Bis Dich der Muttersturm
Aus süssem Dunkel
Von meinen Herzwegen pflückte
Und Dich in meine Arme legte,
        In ein Bad von Küssen.


## BALLADE

*(Aus den sauerländischen Bergen)*

Er hat sich
In ein verteufeltes Weib vergafft,
In sing Schwester!

Wie ein lauerndes Katzentier
Kauerte sie vor seiner Thür
Und leckte am Geld seiner Schwielen.

Im Wirtshaus bei wildem Zechgelag
Sass er und sie und zechten am Tag
Mit rohen Gesellen.

Und aus dem roten, lodernden Saft
Stieg er ein Riese aus zwergenhaft
Verkümmerten Gesellen.

Und ihm war, als blicke er weltenweit,
Und sie schürte den Wahn seiner Trunkenheit
Und lachte!

Und eine Krone von Felsgestein,
Von golddurchädertem Felsgestein,
Wuchs ihm aus seinem Kopf.

Und die Säufer kreischten über den Spass.
»Gott verdamm' mich, ich bin der Satanas!«
Und der Wein sprühte Feuer der Hölle.

Und die Stürme sausten wie Weltuntergang,
Und die Bäume brannten am Bergeshang,
Es sang die Blutschande......

Und sie holten ihn um die Dämmerzeit,
Und die Gassenkinder schrie'n vor Freud'
Und bewarfen ihn mit Unrat.

Seitdem spukt es in dieser Nacht,
Und Geister erscheinen in dieser Nacht,
Und die frommen Leute beten. –

Sie schmückte mit Trauer ihren Leib,
Und der reiche Schankwirt nahm sie zum Weib,
Gelockt vom Sumpf ihrer Thränen.

– Und der mit der schweren Rotsucht im Blut
Wankt um die stöhnende Dämmerglut
Gespenstisch durch die Gassen,

Wie leidender Frevel,
Wie das frevelnde Leid,
Überaltert dem lässigen Leben.

Und er sieht die Weiber so eigen an,
Und sie fürchten sich vor dem stillen Mann
Mit dem Totenkopf.

## KÖNIGSWILLE

Ich will vom Leben der gazellenschlanken
Mädchen mit glühenden Rosengedanken,
Wenn glanzlose Sterne mein Sterbelied singen
Und bleiche Winde durch die Totenstadt weh'n
Und vom Licht mein warmes Leben erzwingen.

Ich will vom Leben der wettergebräunten
Knaben, die nie eine Thräne weinten,
Wenn die Tode vor meinen Herzthoren steh'n
Und mit der Kraft meiner Seele ringen.

Ich will vom Leben der weissen Gluten
Der Sonne und von der Wolke Morgenbluten
Dem quellenden Rot der Himmelsbrust.
Bis meine Lippen sich wieder färben
Und junger Odem durchströmt meine Brust...
Ich will nicht sterben!

## VOLKSLIED

Verlacht mich auch neckisch der Wirbelwind
– Mein Kind, das ist ein Himmelskind
Mit Locken, wie Sonnenscheinen.

Ich sitze weinend unter dem Dach,
Bin in den Nächten fieberwach
Und nähe Hemdchen aus Leinen.

Meiner Mutter Wiegenfest ist heut,
Gestorben sind Vater und Mutter beid'
Und sahen nicht mehr den Kleinen.

Meine Mutter träumte einmal schwer,
Sie sah mich nicht an ohne Seufzer mehr
Und ohne heimliches Weinen. –

DIR

Drum wein' ich,
Dass bei Deinem Kuss
Ich so nichts empfinde
Und ins Leere versinken muss.
    Tausend Abgründe
Sind nicht so tief,
Wie diese grosse Leere.
Ich sinne im engsten Dunkel der Nacht,
    Wie ich Dir's ganz leise sage,
Doch ich habe nicht den Mut.
Ich wollte, es käme ein Südenwind,
Der Dir's herüber trage,
Damit es nicht gar voll Kälte kläng'
Und er Dir's warm in die Seele säng'
    Kaum merklich durch Dein Blut.

MÜDE

All' die weissen Schlafe
    Meiner Ruh'
Stürzten über die dunklen Himmelssäume.
Nun deckt der Zweifel meine Sehnsucht zu
Und die Qual erdenkt meine Träume.

O, ich wollte, dass ich wunschlos schlief,
Wüsst' ich einen Strom, wie mein Leben so tief,
Flösse mit seinen Wassern.

## SCHULD

Als wir uns gestern gegenübersassen,
Erschrak ich über Deine Blässe,
Ueber die Leidenslinie Deiner Wange.
Da kam's, dass meine Gedanken mich vergassen
Ueber der Leidenslinie Deiner Wange.

Es trafen unsere Blicke sich wie Sternenfragen,
Es war ein goldenes Hin- und Herverweben
Und Deine Augen glichen seid'nen Mädchenaugen.
Du öffnetest die Lippen, mir zu sagen.....
Und meine Seele färbte sich in Matt,
Dumpf läutete noch einmal Brand mein Leben
Und schrumpfte dann zusammen wie ein Blatt.

## UNGLÜCKLICHER HASS

*(Versrelief)*

Du! Mein Böses liebt Dich
Und meine Seele steht
Furchtbarer über Dir,
Wie der drohendste Stern über Herculanum.

Wie eine Wildkatze springt
Mein Böses aus mir,
Und beisst nach Dir.
    Entrissen
Von Liebesküssen
Aber taumelst Du
In Armen bekränzter Hetären
Durch rosenduftender Sphären
    Rauschgesang.

Nachts schleichen Hyänen,
Wie brütende Finsternisse
Hungrig über meine Träume
Im Wutglüh'n meiner Thränen.

## NACHWEH

Weisst Du noch als ich krank lag,
    So Gott verlassen –
Da kamst Du,
    Es war am Herbsttag,
Der Wind wehte krank durch die Gassen.

Zwei kalte Totenaugen
Hätten mich nicht so gequält,
Wïe Deine Saphiraugen,
Die beiden brennenden Märchen.


## MEIN TANZLIED

Aus mir braust finst're Tanzmusik,
Meine Seele kracht in tausend Stücken!
Der Teufel holt sich mein Missgeschick
Um es ans brandige Herz zu drücken.

Die Rosen fliegen mir aus dem Haar
Und mein Leben saust nach allen Seiten,
So tanz' ich schon seit tausend Jahr,
Seit meiner ersten Ewigkeiten.


## VERGELTUNG

Hab' hinter Deinem trüben Grimm geschmachtet,
Und der Tod hat in meiner Seele genachtet
    Und frass meine Lenze.
Und da kam ein Augenblick,
Ein spielender, jauchzender Augenblick
Und tanzte mit mir ins Leben zurück
    Bis zur Grenze.
Aber das Netz meiner Augen zerriss
    Vom plötzlichen Lichtglanz.

Wie soll ich nun die Goldzeiten auffangen!
Meine Seele die Goldlüfte einsaugen!
Der Tod hat sich fest an mein Leben gehangen,
Ich fühle immer stilleres Vergessen...
Himmelszeichen künden Unheil an im Westen,
In der Sackgasse brütet Frucht ein Nebelbaum
Und winkt mir heimlich mit den Schattenästen –
Ja! Meine Seele soll Beklemmniss von ihm essen!
Und ein Alb auf Dir liegen Nachts im Traum.


## HUNDSTAGE

Ich will Deiner schweifenden Augen Ziel wissen
Und Deiner flatternden Lippen Begehr,
Denn so ertrag' ich das Leben nicht mehr,
Von der Tollwut der Zweifel zerbissen.

....Wie friedvoll die Malvenblüten starben
Unter süssen Himmeln der Lenznacht –
Ich war noch ein Kind, als sie starben.

Hab' so still in der Seele Gottes geruht –
Möcht' mich nun in rasendes Meer stürzen
Von schreiendem Herzblut!


## MELODIE

Deine Augen legen sich in meine Augen
Und nie war mein Leben so in Banden,
Nie hat es so tief in Dir gestanden
Es so wehrlos tief.

Und unter Deinen schattigen Träumen
Trinkt mein Anemonenherz den Wind zur Nachtzeit,
Und ich wandle blühend durch die Gärten
Deiner stillen Einsamkeit.

## ELEGIE

Du warst mein Hyazinthentraum,
Bist heute noch mein süssestes Sehnen,
Aber mein Wünschen zittert durch Thränen
Und meine Hoffnung klagt vom Trauereschenbaum.

Tausend Wunschjahre lag ich vor Deinen Knieen,
Meine Gedanken sprudelten wie junge Weine,
Ein Venussehnen lag vor Deinen Knieen!

Zwei Sommer hielten wir uns schwer umfangen,
Ich tauchte in den goldenen Strudel Deiner Schelmenlaunen,
Bis aus den späten Nächten unsere Sterbeglocken klangen.

Und Neide schlichen heimlich, ihre Geil zu rächen,
Die Wolken drohten wild wie schwarze Posaunen,
Wir träumten beide einen Schmerzenstraum:
Zwei böse Sterne fielen in derselben Nacht
Und wir erblindeten in ihrem Stechen.

Der erste Blick, der uns zu eins gehämmert,
Er quälte sich bis in die Morgenstunden,
Bis weh das Herz des Ostens aufgedämmert.

Da sprangen alle grausigen Sagen auf,
Träumte nur noch Plagen,
Alle Plagen erdrosselten mich
Und reissende Hasse kamen
Und verheerten
Die Haine unserer jung gestorbenen Liebe.
Und wehrten meiner Seele Flucht zu Gott,
Gramjahre bebte ich hin,
Krankte zurück,
Kein Himmel beugte sich zu meinem Harme!
Durch alle Sümpfe schleift' ich mein verhungert Glück,
Und warf mich müd dem Satan in die Arme.

## VAGABUNDEN

O, ich wollte in den Tag gehen,
Alle Sonnen, alle Glutspiele fassen,
Muss in trunk'ner Lenzluft untergeh'n
Tief in meinem Rätselblut.
Sehnte mich zu sehr nach dem Jubel!
Dass mein Leben verspiele mit dem Jubel.
Kaum noch fühlt' meine Seele den Goldsinn des Himmels,
Kaum noch sehen können meine Augen,
Wie müde Welle gleiten sie hin.
Und meine Sehnsucht taumelt wie eine sterbende Libelle.

    Giesse Brand in mein Leben!
     Ja, ich irre mit Dir,
Durch alle Gassen wollen wir streifen,
Wenn unsere Seelen wie hungernde Hunde knurren.
An allen Höllen unsere Lüste schleifen,
Und sünd'ge Launen alle Teufel fleh'n
Und Wahnsinn werden uns're Frevel sein,
Wie bunte, grelle Abendlichter surren;
Irrsinnige Gedanken werden diese Lichte sein!
Ach Gott! Mir bangt vor meiner schwarzen Stunde,
Ich grabe meinen Kopf selbst in die Erde ein!


## HERZKIRSCHEN WAREN MEINE LIPPEN BEID'

Ach, ich irre wie die Todsünde
Ueber wilde Haiden und Abgründe,
Ueber weinende Blumen im Herbstwind,
Die dicht von Brennesseln umklammert sind.

Herzkirschen waren meine Lippen beid',
Sie sind nun bleich und schweigend wie das Leid.
Ich suchte ihn im Abend, in der Dämmerung früh,
Und trank mein Blut und meine Süssigkeit.

Der Schatten, der auf meiner Wange glüht,
Wie eine Trauerrose ist er aufgeblüht
Aus meiner Seele Sehnsuchtsmelodie.


## DIE BEIDEN


Dem zuckte sein zackiges Augenbrau jäh
Wie der Blitzstrahl einer Winternacht,
Und jener mit dem süssen Weh,
Dem ringenden Eden im Auge,
Mit dem Himmelblond auf der Stirn . . . . .

Ich senkte mich in Beide
Wie ein erleuchtendes Gestirn –
Und es war, als sei ich:
Ihnen ihr Blut zu verraten:

Er mit dem scharfen Stahl im Aug'
Träumte von Heldenthaten
Im Dickicht meiner Urwaldaugen.
Und jenem, dem die Höhen des Parnassos
Mit Goldblicken winkten sternenwärts,
Ihm spannte ich zwei meiner wilden,
Ungezähmten Dürste ans Herz.


## MEINE BLUTANGST


Es war eine Ebbe in meinem Blut,
Es schrie wie brüllende Ozeane
Und mit meiner Seele wehte der Tod
Wie mit einer Siegesfahne.

Zehn Könige standen um mein Bett,
Zehn stolze, leuchtende Sterne,
Sie tränkten mit Himmelsthau meine Qual,
Alle Abende meine Erbqual.

Jäh rissen sich ihre Willen los,
Wie schneidende Winterstürme.
Ueber die Herzen hinweg!
Ueber das Leben hinweg!
Und ihr rasender Mut wuchs Türme!
Und sie schlugen meine Blutangst tot,
Wie Himmelsbrand blühte das Morgenrot,
Und mein Blass schneite von ihren Wangen.


## IM ANFANG

*(Weltscherzo)*

Hing an einer goldenen Lenzwolke,
Als die Welt noch Kind war,
Und Gott noch junger Vater war.
   Schaukelte, hei!
   Auf dem Ätherei,
   Und meine Wollhärchen flitterten ringelrei.
Neckte den wackelnden Mondgrosspapa,
Naschte Goldstaub der Sonnenmama,
In den Himmel sperrte ich Satan ein
Und Gott in die rauchende Hölle ein.
Die drohten mit ihrem grössten Finger
Und haben »klumbumm! klumbumm!« gemacht
Und es sausten die Peitschenwinde!
Doch Gott hat nachher zwei Donner gelacht
Mit dem Teufel über meine Todsünde.
Würde 10 000 Erdglück geben,
Noch einmal so gottgeboren zu leben,
So gottgeborgen, so offenbar.
   Ja! Ja!
Als ich noch Gottes Schlingel war!

## STYX

O, ich wollte, daß ich wunschlos schlief,
Wüßt ich einen Strom, wie mein Leben so tief,
Flösse mit seinen Wassern.


## CHRONICA

Mutter und Vater sind im Himmel –
    Amen.
Drei Seelen breiten
Aus stillem Morgenträumen
Zum Gottland ihre Wehmut aus; –
Denn drei sind wir Schwestern,
Die vor mir träumten schon in Sphinxgestalten
Zu Pharaozeiten; –
Mich formte noch im tiefsten Weltenschoß
Die schwerste Künstlerhand.
Und wisset wer meine Brüder sind?
Sie waren die drei Könige, die gen Osten zogen
Dem weißen Sterne nach zum Gotteskind.
Aber acht Schicksale wucherten aus unserem Blut.
Vier plagen uns im Abendrot,
Vier verdunkeln uns die Morgenglut,
Sie brachten über uns Hungersnot
Und Herzensnot und Tod.
Und es steht:
Über unserem letzten Grab ihr Fortleben noch,
Den Fluch über alle Welten zu weben,
Sich ihres Bösen zu freuen.
Aber die Winde werden einst ihren Staub scheuen.
Satan, erbarme dich ihrer.

## WELTFLUCHT

Ich will in das Grenzenlose
Zu mir zurück,
Schon blüht die Herbstzeitlose
Meiner Seele,
Vielleicht ists schon zu spät zurück.
O, ich sterbe unter euch!
Da ihr mich erstickt mit euch.
Fäden möchte ich um mich ziehen
Wirrwarr endend!
Beirrend,
Euch verwirrend,
Zu entfliehn
Meinwärts.

## FRÜHLING

Wir wollen wie der Mondenschein
Die stille Frühlingsnacht durchwachen,
Wir wollen wie zwei Kinder sein.
Du hüllst mich in dein Leben ein
Und lehrst mich so wie du zu lachen.

Ich sehnte mich nach Mutterlieb
Und Vaterwort und Frühlingsspielen,
Den Fluch, der mich durchs Leben trieb,
Begann ich, da er bei mir blieb,
Wie einen treuen Feind zu lieben.

Nun blühn die Bäume seidenfein
Und Liebe duftet von den Zweigen.
Du mußt mir Mutter und Vater sein
Und Frühlingsspiel und Schätzelein
Und ganz mein eigen.

## MEINE SCHAMRÖTE

Du, sende mir nicht länger den Duft,
Den brennenden Balsam
Deiner süßen Gärten zur Nacht.

Auf meiner Wange blutet die Scham
Und um mich zittert die Sommerluft.

Du.... wehe Kühle auf meine Wangen
Aus duftlosen, wunschlosen Gräsern zur Nacht.

Nur nicht länger den Hauch deiner suchenden Rosen,
    Er quält meine Scham.


## SYRINXLIEDCHEN

Die Palmenblätter schnellen wie Viperzungen
In die Kelche der roten Gladiolen,
Und die Mondsichel lacht
Wie ein Faunsaug verstohlen.

Die Welt hält das Leben umschlungen
Im Strahl des Saturn.
Und durch das Träumen der Nacht
Sprüht es purpurn.

Jüx! Wollen uns im Schilfrohr
Mit Binsen aneinanderbinden
Und mit der Morgenröte Frühlicht
Den Süden unserer Liebe ergründen.

## WINTERNACHT
*(Cellolied)*

Ich schlafe tief in starrer Winternacht,
Mir ist, ich lieg in Grabesnacht,
Als ob ich spät um Mitternacht gestorben sei
Und schon ein Sternenleben tot.

Zu meinem Kinde zog mein Glück
Und alles Leiden in das Leid zurück.
Nur meine Sehnsucht sucht sich heim
Und zuckt wie zähes Leben
Und stirbt.

Ich schlafe tief in starrer Winternacht,
Mir ist, ich lieg in Grabesnacht.


## MAIROSEN
*(Reigenlied für die großen Kinder)*

Er hat seinen heiligen Schwestern versprochen
Mich nicht zu verführen,
Zwischen Mairosen hätte er fast
Sein Wort gebrochen,
Aber er machte drei Kreuze
Und ich glaubte heiß zu erfrieren.

Nun lieg ich im düstren Nadelwald,
Und der Herbst saust kalte Nordostlieder
Über meine Lenzglieder.

Aber wenn es wieder warm wird,
Wünsch ich den heiligen Schwestern beid
Hochzeit
Und wir – spielen dann unter den Mairosen.

## DANN

...Dann kam die Nacht mit deinem Traum
Im stillen Sternebrennen.
Und der Tag zog lächelnd an mir vorbei
Und die wilden Rosen atmeten kaum.

Nun sehn ich mich nach Traumesmai,
Nach deinem Liebeoffenbaren.
Möchte an deinem Munde brennen
Eine Traumzeit von tausend Jahren.

## ABEND

Es riß mein Lachen sich aus mir,
Mein Lachen mit den Kinderaugen,
Mein junges, springendes Lachen
Singt Tag der dunklen Nacht vor deiner Tür.

Es kehrte aus mir ein in dir
Zur Lust dein Trübstes zu entfachen –
Nun lächelt es wie Greisenlachen
Und leidet Jugendnot.

## SCHEIDUNG

Hab in einer sternlodernden Nacht
Den Mann neben mir ums Leben gebracht.
Und als sein girrendes Blut gen Morgen rann,
Blickte mich düster sein Schicksal an.

## DASEIN

Hatte wogendes Nachthaar,
Liegt lange schon wo begraben.
Hatte Augen wie Bäche klar,
Bevor die Trübsal mein Gast war,
Hatte Hände muschelrotweiß,
Aber die Arbeit verzehrte ihr Weiß.
Und einmal kommt der Letzte,
Der senkt den hohlen Blick
Nach meines Leibes Vergänglichkeit
Und wirft von mir alles Sterben.
Und es atmet meine Seele auf
Und trinkt das Ewige.

## SEIN BLUT

Am liebsten pflückte er meines Glückes
Letzte Rose im Maien
Und würfe sie in den Rinnstein.
Sein Blut plagt ihn.

Am liebsten lockte er meiner Seele
Zitternden Sonnenstrahl
In seine düstre Nächtequal.

Am liebsten griff er mein spielendes Herz
Aus wiegendem Lenzhauch
Und hing es auf wo an einem Dornstrauch
.... Sein Blut plagt ihn.

## KÜHLE

In den weißen Bluten
Der hellen Rosen
Möchte ich verfluten.

Doch auf den Teichen
Warten die starren, seelenlosen Wasserrosen,
Meiner Sehnsucht Kühle zu reichen.


## CHAOS

Die Sterne fliehen schreckensbleich
Vom Himmel meiner Einsamkeit,
Und das schwarze Auge der Mitternacht
Starrt näher und näher.

Ich finde mich nicht wieder
In dieser Todverlassenheit,
Mir ist, ich lieg von mir weltenweit
Zwischen grauer Nacht der Urangst.

Ich wollte, ein Schmerzen rege sich
Und stürze mich grausam nieder
Und riß mich jäh an mich!
Und es lege eine Schöpferlust
Mich wieder in meine Heimat
Unter der Mutterbrust.

Meine Mutterheimat ist seeleleer,
Es blühen dort keine Rosen
Im warmen Odem mehr. –
....Möcht einen Herzallerliebsten haben,
Und mich in seinem Fleisch vergraben.

## LENZLEID

Daß du Lenz gefühlt hast
In meiner Winterhülle,
Daß du den Lenz erkannt hast
In meiner Todstille –
Nicht wahr, das ist Gram
Winter sein, eh der Sommer kam,
Eh der Lenz sich ausgejauchzt hat.

O, du! schenk mir deinen goldenen Tag
Von deines Blutes blühendem Rot.
Meine Seele friert vor Hunger,
Ist satt vom Reif –
O, du! Gieße dein Lenzblut
Durch meine Starre,
Durch meinen Scheintod.
Sieh, ich harre
Schon Ewigkeiten auf dich.

## WELTSCHMERZ

Ich, der brennende Wüstenwind,
Erkaltete und nahm Gestalt an.

Wo ist die Sonne, die mich auflösen kann,
Oder der Blitz, der mich zerschmettern kann!

Blick nun, ein steinernes Sphinxhaupt,
Zürnend zu allen Himmeln auf.

## MEIN DRAMA

Mit allen duftsüßen Scharlachblumen
Hat er mich gelockt,
Keine Nacht mehr hielt ich es im engen Zimmer aus,
Liebeskrumen stahl ich mir vor seinem Haus
Und sog mein Leben ihn ersehnend aus.
Es weint ein bleicher Engel leis in mir versteckt,
Ich glaube tief in meiner Seele;
Er fürchtet sich vor mir.
Im wilden Wetter sah ich mein Gesicht!
Ich weiß nicht wo, vielleicht im dunklen Blitz,
Mein Auge stand wie Winternacht im Antlitz,
Nie sah ich grimmigeres Leid.
.... Mit allen duftsüßen Scharlachblumen
Hat er mich gelockt,
Es regt sich wieder weh in meiner Seele
Und leitet mich durch all Erinnern weit.
Sei still mein wilder Engel mein,
Gott weine nicht
Und schweige von dem Leid,
Mein Schmerzen soll sich nicht entladen,
Den Faden, der mich hielt mit allen Leben,
Hab ich der Welt zurückgegeben
Freiwillig.
Auf allen Denkgesteinen wird mein Leiden brennen,
Um alles Blühen lohen, wie ein dunkler Bann.
Ich sehne mich nach meiner blindverstoßenen Einsamkeit,
Trostsuchend wie mein Kind sie zu umarmen.

## LIEBESSTERNE

Deine Augen harren vor meinem Leben
Wie Nächte, die sich nach Tagen sehnen,
Und der schwüle Traum liegt auf ihnen unergründet.

Seltsame Sterne starren zur Erde,
Eisenfarbene mit Sehnsuchtsschweifen,
Mit brennenden Armen die Liebe suchen
Und in die Kühle der Lüfte greifen.

## SCHWARZE STERNE

Warum suchst du mich in unseren Nächten,
In Wolken des Hasses auf bösen Sternen!
Laß mich allein mit den Geistern fechten.

Sie schnellen vorbei auf Geyerschwingen
Aus längst vergessenen Wildlandfernen.
Eiswinde durch Lenzessingen.

Und du vergißt die Gärten der Sonne
Und blickst gebannt in die Todestrübe.
Ach, was irrst du hinter meiner Not.

## SELBSTMORD

Wilde Fratzen schneidet der Mond in den Sumpf.
Es kreisen alle Welten dumpf;
Hätt ich erst diese überstanden!

Mein Herz, ein Skarabäenstein;
Blüht bunter Mai aus meinem Gebein
Und Meere rauschen durch Guirlanden.

Ich wollt, ich wär eine Katz geworden;
Der Kater schleicht sie lustzumorden
Im vollmondblutenden Abendschein.

Wie die Nacht voll grausamer Sehnsucht keimt –
Sie hat in mir oft zart geträumt
Und ist entstellt zur Fratze.

Der Tod selbst fürchtet sich zu zwein
Und kriecht in seinen Erdenschrein,
– Aber ich pack ihn mit meiner Tatze.


BALLADE

*(Aus den sauerländischen Bergen)*

Er hat sich
In ein verteufeltes Weib vergafft,
In sing Schwester!

Wie ein lauerndes Katzentier
Kauerte sie vor seiner Tür
Und leckte am Geld seiner Schwielen.

Im Wirtshaus bei wildem Zechgelag
Saß er und sie und zechten am Tag
Mit rohen Gesellen.

Und aus dem roten, lodernden Saft
Stieg er ein Riese aus zwergenhaft
Verkümmerten Gesellen.

Und ihm war, als blickte er weltenweit,
Und sie schürte den Wahn seiner Trunkenheit
Und lachte!

Und eine Krone von Felsgestein,
Von golddurchädertem Felsgestein
Wuchs ihm aus seinem Kopf.

Und die Säufer kreischten über den Spaß.
»Gott verdamm mich, ich bin der Satanas!«
Und der Wein sprühte Feuer der Hölle.

Und die Stürme sausten wie Weltuntergang,
Und die Bäume brannten am Bergeshang,
Es sang die Blutschande........

Sie holten ihn um die Dämmerzeit,
Und die Gassenkinder schrien vor Freud
Und bewarfen ihn mit Unrat.

Seitdem spukt es in dieser Nacht,
Und Geister erscheinen in dieser Nacht,
Und die frommen Leute beten.

Sie schmückte mit Trauer ihren Leib,
Und der reiche Schankwirt nahm sie zum Weib,
Gelockt vom Sumpf ihrer Tränen.

– Und der mit der schweren Rotsucht im Blut
Wankt um die stöhnende Dämmerglut
Gespenstisch durch die Gassen.

Wie leidender Frevel,
Wie das frevelnde Leid,
Überaltert dem lässigen Leben.

Und er sieht die Weiber so eigen an,
Und sie fürchten sich vor dem stillen Mann
Mit dem Totenkopf.

DIR

Drum wein ich,
Daß bei deinem Kuß
Ich so nichts empfinde
Und ins Leere versinken muß.
Tausend Abgründe
Sind nicht so tief,
Wie diese große Leere.
Ich sinne im engsten Dunkel der Nacht,
Wie ich dirs ganz leise sage,
Doch ich habe nicht den Mut.
Ich wollte, es käme ein Südenwind,
Der dirs herübertrage,
Damit es nicht gar voll Kälte kläng
Und er dirs warm in die Seele säng
Kaum merklich durch dein Blut.


SCHULD

Als wir uns gestern gegenüber saßen,
Erschrak ich über deine Blässe,
Über die Leidenslinie deiner Wange.
Da kams, daß meine Gedanken mich vergaßen
Über der Leidenslinie deiner Wange.

Es trafen unsere Blicke sich wie Sternenfragen,
Es war ein goldenes Hin- und Herverweben
Und deine Augen glichen seidenen Mädchenaugen.
Du öffnetest die Lippen, mir zu sagen.....
Und meine Seele färbte sich in Matt,

Dumpf läutete noch einmal Brand mein Leben
Und schrumpfte dann zusammen wie ein Blatt.

## NACHWEH

Weißt du noch, wie ich krank lag,
  So gottverlassen –
Da kamst du,
  Es war am Herbsttag,
Der Wind wehte krank durch die Gassen.

Zwei kalte Totenaugen
  Hätten mich nicht so gequält,
Wie deine Saphiraugen,
  Die beiden brennenden Märchen.

## MEIN TANZLIED

Aus mir braust finstre Tanzmusik,
Meine Seele kracht in tausend Stücken;
Der Teufel holt sich mein Mißgeschick,
Um es ans brandige Herz zu drücken.

Die Rosen fliegen mir aus dem Haar
Und mein Leben saust nach allen Seiten,
So tanz ich schon seit tausend Jahr,
Seit meiner ersten Ewigkeiten.

## VERGELTUNG

Hab hinter deinem trüben Grimm geschmachtet,
Und der Tod hat in meiner Seele genachtet
Und fraß meine Lenze.
Da kam ein Augenblick,
Ein spielender, jauchzender Augenblick
Und tanzte mit mir ins Leben zurück
Bis zur Grenze.

Aber das Netz meiner Augen zerriß
Vom plötzlichen Lichtglanz.
Wie soll ich nun die Goldzeiten auffangen!
Meine Seele die Goldlüfte einsaugen!
Der Tod hat sich fest an mein Leben gehangen,
Ich fühle immer stilleres Vergessen.....
Himmelszeichen künden Unheil an im Westen,
In der Sackgasse brütet Frucht ein Nebelbaum
Und winkt mir heimlich mit den Schattenästen –
Ja! Meine Seele soll Beklemmnis von ihm essen!
Und ein Alp auf dir liegen nachts im Traum.


## ES WAR EINE EBBE IN MEINEM BLUT

Es war eine Ebbe in meinem Blut,
Es schrie wie brüllende Ozeane.
Und mit meiner Seele wehte der Tod
Wie mit einer Siegesfahne.

Zehn Könige standen um mein Bett,
Zehn stolze, leuchtende Sterne,
Sie tränkten mit Himmelstau meine Qual,
Alle Abende meine Erbqual.

Jäh rissen sich ihre Willen los,
Wie schneidende Winterstürme!
Über die Herzen hinweg!
Über das Leben hinweg!
Und ihr rasender Mut wuchs Türme!

Und sie schlugen meine Blutangst tot,
Wie Himmelsbrand blühte das Morgenrot,
Und mein Blaß schneite von ihren Wangen.

IM ANFANG

Hing an einer goldnen Lenzwolke,
Als die Welt noch Kind war
Und Gott noch junger Vater war.
Schaukelte hei
Auf dem Ätherei
Und meine Wollhärchen flitterten ringelrei.
Neckte den wackelnden Mondgroßpapa,
Naschte Sonne der Goldmama,
In den Himmel sperrte ich Satan ein,
Und Gott in die rauchende Hölle.
Die drohten mit ihrem größten Finger
Und haben »klumbumm, klumbumm« gemacht,
Und es sausten die Peitschenwinde;
Doch Gott hat nachher zwei Donner gelacht
Mit dem Teufel über meine Todsünde.
Würde 10 000 Erdglück geben,
Noch einmal so gottgeboren zu leben,
So gottgeborgen, so offenbar.
    Ja, ja,
Als ich noch Gottes Schlingel war!

DER SIEBENTE TAG
DAS PETER HILLE-BUCH
DIE NÄCHTE TINO VON BAGDADS

ERKENNTNIS

Schwere steigt aus allen Erden auf
Und wir ersticken im Bleidunst,
Jedoch die Sehnsucht reckt sich
Und speit wie eine Feuersbrunst.
Es tönt aus allen wilden Flüssen
Das Urgeschrei, Evas Lied.
Wir reißen uns die Hüllen ab,
Vom Schall der Vorwelt hingerissen,
     Ich nackt! Du nackt!
— — — — — — — — — — — — — — — —

Wilder, Eva, bekenne schweifender,
Deine Sehnsucht war die Schlange,
Ihre Stimme wand sich über deine Lippe,
Und biß in den Saum deiner Wange.

Wilder, Eva, bekenne reißender,
Den Tag, den du Gott abrangst,
Da du zu früh das Licht sahst
Und in den blinden Kelch der Scham sankst.

Riesengroß
Steigt aus deinem Schoß
Zuerst wie Erfüllung zagend,
Dann sich ungestüm raffend,
    Sich selbst schaffend
    Gott-Seele..........

Und sie wächst
Über die Welt hinaus,
Ihren Anfang verlierend,
Über alle Zeit hinaus,
Und zurück um dein Tausendherz
Ende überragend...

Singe, Eva, dein banges Lied einsam,
Einsamer, tropfenschwer wie dein Herz schlägt,
Löse die düstere Tränenschnur,
Die sich um den Nacken der Welt legt.

Wie das Mondlicht wandele dein Antlitz....
Du bist schön....
Singe, singe, horch, den Rauscheton,
Spielt die Nacht auf deinem Goldhaar schon:

»Ich trank atmende Süße
Vom schillernden Aste
Aus holden Dunkeldolden.
Ich fürchte mich nun
Vor meinem wachenden Blick –
Verstecke mich, du –
Denn meine wilde Pein
        Wird Scham,
Verstecke mich, du,
Tief in das Auge der Nacht,
Daß mein Tag Nachtdunkel trage.
Dieses taube Getöse, das mich umwirrt!
Meine Angst rollt die Erdstufen herauf,
Düsterher, zu mir zurück, nachthin,
Kaum rastet eine Spanne zwischen uns.
Brich mir das glühende Eden von der Schulter!
Mit seinen kühlen Armen spielten wir,
Durch seine hellen Wolkenreife sprangen unsere Jubel.
Nun schnellen meine Zehe wie irre Pfeile über die Erde,
Und meine Sehnsucht kriecht in jähen Bogen mir voran.«

Eva, kehre um vor der letzten Hecke noch!
Wirf nicht Schatten mit dir,
Blühe aus, Verführerin.

Eva du heiße Lauscherin,
O, du schaumweiße Traube,
Flüchte um vor der Spitze deiner schmalsten Wimper noch!

## LIEBESFLUG

Drei Stürme liebt ich ihn eher, wie er mich,
Jäh schrien seine Lippen,
Wie der geöffnete Erdmund!
Und Gärten berauschten an Mairegen sich.

Und wir griffen unsere Hände,
Die verlöteten wie Ringe sich;
Und er sprang mit mir auf die Lüfte
Gotthin, bis der Atem verstrich.

Dann kam ein leuchtender Sommertag,
Wie eine glückselige Mutter,
Und die Mädchen blickten schwärmerisch,
Nur meine Seele lag müd und zag.


## WIR BEIDE

Der Abend weht Sehnen aus Blütensüße,
Und auf den Bergen brennt wie Silberdiamant der Reif,
Und Engelköpfchen gucken überm Himmelstreif,
Und wir beide sind im Paradiese.

Und uns gehört das ganze bunte Leben,
Das blaue große Bilderbuch mit Sternen!
Mit Wolkentieren, die sich jagen in den Fernen
Und hei! die Kreiselwinde, die uns drehn und heben!

Der liebe Gott träumt seinen Kindertraum
Vom Paradies – von seinen zwei Gespielen,
Und große Blumen sehn uns an von Dornenstielen...
Die düstre Erde hing noch grün am Baum.

## DIE LIEBE

Es rauscht durch unseren Schlaf
Ein feines Wehen, Seide,
Wie pochendes Erblühen
Über uns beide.

Und ich werde heimwärts
Von deinem Atem getragen,
Durch verzauberte Märchen,
Durch verschüttete Sagen.

Und mein Dornenlächeln spielt
Mit deinen urtiefen Zügen,
Und es kommen die Erden
Sich an uns zu schmiegen.

Es rauscht durch unseren Schlaf
Ein feines Wehen, Seide –
Der weltalte Traum
Segnet uns beide.


## TRAUM

Der Schlaf entführte mich in deine Gärten,
In deinen Traum – die Nacht war wolkenschwarz umwunden –
Wie düstere Erden starrten deine Augenrunden,
Und deine Blicke waren Härten –

Und zwischen uns lag eine weite, steife
Tonlose Ebene...
Und meine Sehnsucht, hingegebene,
Küßt deinen Mund, die blassen Lippenstreife.

MARGRET

Der Morgen ist bleich von Traurigkeit,
Es sind so viel junge Blumen gestorben,
Und du, o du bist gestorben,
Und mein Herz klagt eine Sehnsucht weit;

Über die ziellose Flut
Der blaublühenden Meere,
Und deine Mutter höre
Ich weinen in meinem Blut.

...Muß immer träumen
Von deinen tiefen Lenzaugen,
Die blickten wie wilde Knospen
Von gottalten Bäumen.


»TÄUBCHEN,
DAS IN SEINEM EIGNEN BLUTE SCHWIMMT«

Als ich also diese Worte an mich las,
Erinnerte ich mich
Tausend Jahre meiner.

Eisige Zeiten verschollen – Leben vom Leben,
Wo liegt mein Leben –
Und träumt nach meinem Leben.

Ich lag allen Tälern im Schoß,
Umklammerte alle Berge,
Aber nie meine Seele wärmte mich.

Mein Herz ist die tote Mutter,
Und meine Augen sind traurige Kinder,
Die über die Lande gehen.

»Täubchen, das in seinem eigenen Blute schwimmt«.
Ja, diese Worte an mich sind heiße Tropfen,
Sind mein stilles Aufsterben
»Täubchen, das in seinem eigenen Blute schwimmt«.

In den Nächten sitzen sieben weinende Stimmen
Auf der Stufe des dunklen Tors
Und harren.

Auf den Hecken sitzen sie
Um meine Träume
Und tönen.

Und mein braunes Auge blüht
Halberschlossen vor meinem Fenster
Und zirpt. –
»Täubchen, das in seinem eigenen Blute schwimmt«.


EVA

Du hast deinen Kopf tief über mich gesenkt,
Deinen Kopf mit den goldenen Lenzhaaren,
Und deine Lippen sind von rosiger Seidenweichheit,
Wie die Blüten der Bäume Edens waren.

Und die keimende Liebe ist meine Seele.
O, meine Seele ist das vertriebene Sehnen,
Du liebzitterst vor Ahnungen –
... Und weißt nicht, warum deine Träume stöhnen.

Und ich liege schwer auf deinem Leben,
Eine tausendstämmige Erinnerung,
Und du bist so blutjung, so adamjung...
Du hast deinen Kopf tief über mich gesenkt –.

## UNSER STOLZES LIED

Aber fremde Tage hängen
Über uns mit kühlen Bläuen,
Und weiße Wolkenschollen dräuen,
Das goldene Strahleneiland zu verdrängen.

Auch wird beide sind besiegte Siegerinnen,
Und Kronen steigen uns vom Blut der Zeder,
Propheten waren unsere Väter,
Unsere Mütter Königinnen.

Und süße Schwermutwolken ranken
Sich über ihre Gräber lilaheiß in Liebeszeilen,
Unsere Leiber ragen stolz, zwei goldene Säulen,
Über das Abendland wie östliche Gedanken.

## UNSER LIEBESLIED

Laß die kleinen Sterne stehn,
Lenzseits winken junge Matten
Meiner Welten, die nichts wissen vom Geschehn.

Und wir wollen unter Pinien
Heimlich beide umschlungen gehn,
In die blaue Allmacht sehn.

Zwischen Garben
Und Schilfrohrruten
Steigen Schlummer auf aus Farben.

Und von roten Abendlinien
Blicken Marmorwolkenfresken
Und verzückte Arabesken.

## UNSER KRIEGSLIED

Unsere Arme schlingen sich entgegen
Durch das Leben in runden Schwingen,
Durch das Spiel von Feuerringen,
Zwei Äste sich durch Bogenwegen.

Unsere Seelen tragen scharfe Blüten
Und aus ihren Kelchen steigen
Weihedüfte ... und die Himmel neigen
Ihre Häupter mit den blauen Güten.

Unsere Willen sind zwei harte Degen
Und sie haben nie verfehlt gestritten,
Und wir dringen bis zum Erzkreis vor, in seiner Mitten
Fällt nach dürren Ewigkeiten Freudenregen,

Alles Sehnen nieder, und vor unserm Schilde
Stürzt das blinde Dämmergraugebilde.
Unsere Adern schmettern wie Posaunen!

Unsere Augen blicken sich in Blicken,
Wie zwei Siege sich erblicken –
Und die Nacht des Tages voll in Lichterstaunen.


## NEBEL

Wir sitzen traurig Hand in Hand,
Die gelbe Sonnenrose,
Die strahlende Braut Gottes,
Leuchtet erdenabgewandt.

Und wie golden ihr Blick war,
Und unsere Augen weiten
Sich fragend wie Kinderaugen,
Weiß liegt die Sehnsucht schon auf unserm Haar.

Und zwischen den kahlen Buchen
Steigen ruhelose Dunkelheiten,
Auferstandene Nächte,
Die ihre weinenden Tage suchen.

Es schließen sich wie Rosen
Unsere Hände; du, wir wollen
Wie junge Himmel uns lieben
Im Kranz von grauen Grenzenlosen.

Ein tiefer Sommer wird schweben
Auf laubigen Flügeln zur Erde,
Und eine rauschende Süße
Strömt durch das schwermütige Leben.

Und was werden wir beide spielen.....
Wir halten uns fest umschlungen
Und kugeln uns über die Erde,
Über die Erde.


## SCHULZEIT

Unter süßem Veilchenhimmel
Ist unsere Liebe aufgegangen,
Und ich suche allerwegen
Nach dir und deinen Morgenwangen.

Und den Ringelrangelhaaren
Rötlichblonden Rosenlocken,
Und den frühlingshellen Augen
Die so frischfreifrohfrohlocken.

Zwischen dicken Gummipflanzen
Lauern hinter Irdentöpfen
Strickpicknadelspitze Augen,
Tücksch aus bitteren Frauenköpfen.

Daß die beiden alten Damen
Hinter unsere Liebe kamen
Und dich in Gewahrsam nahmen,
Sind die Dramen unserer Herzen.


## GROTESKE

Seine Ehehälfte sucht der Mond,
Da sonst das Leben sich nicht lohnt.

Der Lenzschalk springt mit grünen Füßen,
Ein Heuschreck über die Wiesen.

Steif steht im Teich die Schmackeduzie,
Es sehnt und dehnt sich Fräulein Luzie.


## DAS GEHEIMNIS

Die runde Ampel hängt wie eine Süßfrucht in der Nische,
Des Fensters beide Glasgestalten regen sich,
Der Paradiesbaum hinter ihnen bläht sich,
Und meine Hände fallen bleich vom Marmortische.

Und aus dem Abend tritt ein schwerer Duft,
Und unsere Heiterkeiten klingen ferne
Hellhin ..... wir sind auf einem greisen Sterne –
Wir Vier – und schwanken in der Luft.

Dein Auge füllt sich ... und ich ahne, wer ich bin –
Die zärtlich Glatte schlingt den Arm um deinen Leib und wittert,
Und der im Lichtschein beugt den Kopf, das Schweigen über
                    uns gewittert,
Es blickt sich unser Blut um, hin zum Anbeginn.

Und siegeslockend schwingt der runde Odem uns ums Leben
Am Rand vorbei, der stille Kreis umkrampft uns.
Und Nähe sucht in Nähe zu verkriechen...
Mein Arm hebt wie ein Schwert sich auf vor uns,
Versteinte Zeichen reißen sich aus Urgeweben.

Und draußen fällt ein bleicher, blinder Regen
Und tastet auf in hohlen, toten Fragen.
Wir sind von der Schlange noch nicht ausgetragen
Und finden das Ziel nicht in ihrem dunklen Bewegen.


NACHKLÄNGE

Auf den harten Linien
Meiner Siege
Laß ich meine späte Liebe tanzen.

Herzauf, seelehin,
Tanze, tanze meine späte Liebe,
Und ich lächle schwervergessene Lieder.

Und mein Blut beginnt zu wittern,
Sich zu sehnen
Und zu flattern.

Schon vor Sternzeiten
Wünschte ich mir diese blaue,
Helle, leuchteblaue Liebe.

Deine Augen singen
Schönheit,
Duftende....

Auf den harten Linien
Meiner Siege
Laß ich meine späte Liebe tanzen.

Und ich schwinge sie –
»Fangt auf ihr Rosenhimmel,
Auf und nieder!«

Tanze, tanze, meine späte Liebe,
Herzab, seelehin –
Arglos über stille Tiefen....
Über mein bezwungenes Leben.


## EVAS LIED

Die Luft ist von gährender Erde herb,
Und der nackte Märzwald sehnt sich
Wie du – o, ich wollte, ich würde der Frühling,
Mit lauter Märchen umblühte ich dich.

Wäre meine Kraft nicht tot!
Ich hab all das Nachleid tragen müssen,
Und mein tagendes Herzrot
Ist von grollenden Himmeln zerrissen.

Und deine Sinne sind kühl,
Und deine Augen sind zwei Morgenfrühen,
Und das Blondgewirr auf deiner Stirn
Glüht, als ob Sonnen sie besprühen.

Aber du bist vertrieben wie ich,
Weil du auf das Land meiner Seele sankst,
Als das Glück des Erkenntnistags aus mir schrie
Und seines Genießens Todangst.

## MAIENREGEN

Du hast deine warme Seele
Um mein verwittertes Herz geschlungen,
Und all seine dunklen Töne
Sind wie ferne Donner verklungen.

Aber es kann nicht mehr jauchzen
Mit seiner wilden Wunde,
Und wunschlos in deinem Arme
Liegt mein Mund auf deinem Munde.

Und ich höre dich leise weinen,
Und es ist – die Nacht bewegt sich kaum –
Als fiele ein Maienregen
Auf meinen greisen Traum.

## MEIN STILLES LIED

Mein Herz ist eine traurige Zeit,
Die tonlos tickt.

Meine Mutter hatte goldene Flügel,
Die keine Welt fanden.

Horcht, mich sucht meine Mutter,
Lichte sind ihre Finger und ihre Füße wandernde Träume.

Und süße Wetter mit blauen Wehen
Wärmen meine Schlummer

Immer in den Nächten,
Deren Tage meiner Mutter Krone tragen.

Und ich trinke aus dem Monde stillen Wein,
Wenn die Nacht einsam kommt.

Meine Lieder trugen des Sommers Bläue
Und kehrten düster heim.

Verhöhnt habt ihr mir meine Lippe
Und redet mit ihr.

Doch ich griff nach euren Händen,
Denn meine Liebe ist ein Kind und wollte spielen.

Einen nahm ich von euch und den zweiten
Und küßte ihn,

Aber meine Blicke blieben rückwärts gerichtet
Meiner Seele zu.

Arm bin ich geworden
An eurer bettelnden Wohltat.

Und ich wußte nichts vom Kranksein,
Und bin krank von euch,

Und nichts ist diebischer als Kränke,
Sie bricht dem Leben die Füße,

Stiehlt dem Grabweg das Licht,
Und verleumdet den Tod.

Aber mein Auge
Ist der Gipfel der Zeit,

Sein Leuchten küßt
Gottes Saum.

Und ich will euch noch mehr sagen,
Bevor es finster wird zwischen uns.

Bist du der Jüngste von euch,
So solltest du mein Ältestes wissen.

Auf deiner Seele werden es fortan
Alle Welten spielen.

Und die Nacht wird es wehklagen
Dem Tag.

Ich bin der Hieroglyph,
Der unter der Schöpfung steht.

Und ich artete mich nach euch,
Der Sehnsucht nach dem Menschen wegen.

Ich riß die ewigen Blicke von meinen Augen,
Das siegende Licht von meinen Lippen –

Weißt du einen schwereren Gefangenen,
Einen böseren Zauberer, denn ich.

Und meine Arme, die sich heben wollen,
Sinken...

## MEIN STERBELIED

Die Nacht ist weich von Rosensanftmut;
Komm, gib mir deine beiden Hände her,
Mein Herz pocht spät
Und durch mein Blut
Wandert die letzte Nacht und geht
Und naht so weit und ewig wie ein Meer.

Und hast du mich so sehr geliebt,
So nimm das Jubelndste von deinem Tag,
Gib mir das Gold, das keine Wolke trübt.

Es wallen Harmonien aus der Nachtlandferne –
Ich ziehe ein
Und werde Leben sein
Und Leben mich an Leben schmiegen,
Wenn über mir Paradiessterne
Ihre ersten Menschen wiegen.


## STREITER

Und deine hellen Augen heben sich im Zorn,
Schwarz, wie die lange Nacht, und morgenlose.
Des Eitlen Stimme brüllt in toter Pose,
Wie durch ein enggebogenes Horn.

Und zwischen übermütigem Tausendlachen
Der Einen und der Zweiten und der Vielen
Zerbersten Wort an Worten sich aus Wetterschwielen
Wie reife Härten auf den lauten Schwachen.

Und Abendwinde, die von her und dort sich trafen
Und schrill in Kreiseleile sich beschielen,
Aufpfiffen fröstelnd über die gebohnten Dielen –
Ich konnte nachts vor Träumerei nicht schlafen.

Und meine Seele liegt wie eine bleiche Weite
Und hört das Leben mahlen in der Mühle,
Es löst sich auf in schwere Kühle,
Und ballt sich wieder heiß zum Streite.


## WIR DREI

Unsere Seelen hingen an den Morgenträumen
Wie die Herzkirschen,
Wie lachendes Blut an den Bäumen.

Kinder waren unsere Seelen,
Als sie mit dem Leben spielten,
Wie die Märchen sich erzählen.

Und von weißen Azaleen
Sangen die Spätsommerhimmel
Über uns im Südwindwehen.

Und ein Kuß und ein Glauben
Waren unsere Seelen eins,
Wie drei Tauben.


MEIN LIEBESLIED

Wie ein heimlicher Brunnen
Murmelt mein Blut,
Immer von dir, immer von mir.

Unter dem taumelnden Mond
Tanzen meine nackten, suchenden Träume,
Nachtwandelnde Kinder,
Leise über düstere Hecken.

O, deine Lippen sind sonnig...
Diese Rauschedüfte deiner Lippen...
Und aus blauen Dolden silberumringt
Lächelst du ... du, du.

Immer das schlängelnde Geriesel
Auf meiner Haut
Über die Schulter hinweg –
Ich lausche...

Wie ein heimlicher Brunnen
Murmelt mein Blut.

## MEIN WANDERLIED

Zwölf Morgenhellen weit
Verschallt der Geist der Mitternacht,
Und meine Lippen haben ausgedacht
In stolzer Linie mit der Ewigkeit.

Torabwärts schreitet das Verflossene,
Indes sich meine Seele in dem Glanz der Lösung bricht,
Ihr tausendheißes, weißes Licht
Scheint mir voran ins Ungegossene.

Und ich wachse über all Erinnern weit –
So ferne Musik – und zwischen Kampf und Frieden
Steigen meine Blicke, Pyramiden,
Und sind die Ziele hinter aller Zeit.


## DER LETZTE

Ich lehne am geschlossenen Lid der Nacht
Und horche in die Ruhe.

Alle Sterne träumen von mir,
Und ihre Strahlen werden goldener,
Und meine Ferne undurchdringlicher.

Wie mich der Mond umwandelt,
Immer blindes Geschimmer murmelnd,
Ein Derwisch ist er in seinem Wandeltanz.

Weißgelbenjung hing sein Schein
Schaumleicht an der Nacht,
Und jäh über die Wolken sein Lawinengedröhn
Immer grauab,
Mir zur Seite streifte sein Gold.

Mein Heimatmeer lauscht still in meinem Schoß,
Helles Schlafen – dunkles Wachen...
In meiner Hand liegt schwer mein Volk begraben,
Und Wetter ziehen schüchtern über mich.

Ich lehne am geschlossenen Lid der Nacht
Und horche in die Ruhe.

## O, MEINE SCHMERZLICHE LUST...

Mein Traum ist eine junge, wilde Weide
Und schmachtet in der Dürre.
Wie die Kleider um den Tag brennen...
Alle Lande bäumen sich.

Soll ich dich locken mit dem Liede der Lerche
Oder soll ich dich rufen wie der Feldvogel?
Tuuh! Tuuh!

Wie die Silberähren
Um meine Füße sieden – – –
O, meine schmerzliche Lust
Weint wie ein Kind.

## DER LETZTE STERN

Mein silbernes Blicken rieselt durch die Leere,
Nie ahnte ich, daß das Leben hohl sei.
Auf meinem leichtesten Strahl
Gleite ich wie über Gewebe von Luft
Die Zeit rundauf, kugelab,
Unermüdlicher tanzte nie der Tanz.
Schlangenkühl schnellt der Atem der Winde,
Säulen aus blassen Ringen sich auf
Und zerfallen wieder.
Was soll das klanglose Luftgelüste,
Dieses Schwanken unter mir,
Wenn ich über die Lende der Zeit mich drehe.
Eine sanfte Farbe ist mein Bewegen
Und doch küßte nie das frische Auftagen,
Nicht das jubelnde Blühen eines Morgen mich.
Es naht der siebente Tag –
Und noch ist das Ende nicht erschaffen.
Tropfen an Tropfen erlöschen
Und reiben sich wieder,
In den Tiefen taumeln die Wasser
Und drängen hin und stürzen erdenab.
Wilde, schimmernde Rauscharme
Schäumen auf und verlieren sich,
Und wie alles drängt und sich engt
Ins letzte Bewegen.
Kürzer atmet die Zeit
Im Schoß der Zeitlosen.
Hohle Lüfte schleichen
Und erreichen das Ende nicht,
Und ein Punkt wird mein Tanz
In der Blindnis.

## HEIM

Unsere Zimmer haben blaue Wände,
Und wir wandeln leisehin durch Himmelweiten,
Und am Abend legen Innigkeiten
Mit Engelaugen ineinander unsere Hände.

Und wir erzählen uns Geschichten,
Bis der Morgen kommt in Silberglocken
Und dem Dämmersteine in den Locken,
Der Sonne winkt durchs Tor von Wolkenschichten;

Und wie sie tanzt auf unseren wiesenhellen
Teppichen, leicht über sanftverschlungene Blumenstiele!
Zum Liebeslauschen laden unsere Stühle,
Und von den Pfeilern fallen Seidenquellen.

## SPHINX

Sie sitzt an meinem Bette in der Abendzeit
Und meine Seele tut nach ihrem Willen,
Und in dem Dämmerscheine, traumesstillen,
Engen wie Fäden dünn sich ihre Glanzpupillen
Um ihrer Sinne schläfrige Geschmeidigkeit.

Und auf dem Nebenbette an den Leinennähten
Knistern die Spitzenranken von Narzissen,
Und ihre Hände dehnen breit sich nach dem Kissen,
Auf dem noch Träume blühn aus seinen Küssen,
Herzsüßer Duft auf weißen Beeten.

Und lächelnd taucht die Mondfrau in die Wolkenwellen
Und meine bleichen, leidenden Psychen
Erstarken neu im Kampf mit Widersprüchen.

## WELTENDE

Es ist ein Weinen in der Welt,
Als ob der liebe Gott gestorben wär,
Und der bleierne Schatten, der niederfällt,
Lastet grabesschwer.

Komm, wir wollen uns näher verbergen...
Das Leben liegt in aller Herzen
Wie in Särgen.

Du! wir wollen uns tief küssen --
Es pocht eine Sehnsucht an die Welt,
An der wir sterben müssen.

DER ABEND ruht auf meiner Stirne,
Ich habe dich nicht murmeln gehört, Mensch,
Dein Herz nicht rauschen gehört –
Und ist dein Herz nicht die tiefste Muschel der Erde!
O, wie ich träumte nach diesem Erdton.
Ich lauschte dem Klingen deiner Freude,
An deinem Zagen lehnte ich und horchte,
Aber tot ist dein Herz und erdvergessen.
O, wie sann ich nach diesem Erdton...
Der Abend drückt ihn kühl auf meine Stirne.

## MEIN LIED

Schlafend fällt das nächtliche Laub,
O, du stiller dunkelster Wald....

Kommt das Licht mit dem Himmel,
Wie soll ich wach werden?
Überall wo ich gehe
Rauscht ein dunkler Wald;

Und bin doch dein spielender Herzschelm, Erde,
Denn mein Herz murmelt das Lied
Moosalter Bäche der Wälder.

DEINE SCHLANKHEIT fließt wie dunkles Geschmeide.
O, du meine wilde Mitternachtssonne,
Küsse mein Herz, meine rotpochende Erde.

Wie groß aufgetan deine Augen sind,
Du hast den Himmel gesehn
So nah, so tief.

Und ich habe auf deiner Schulter
Mein Land gebaut –
Wo bist du?

Zögernd wie dein Fuß ist der Weg –
Sterne werden meine Blutstropfen....
Du, ich liebe dich, ich liebe dich.

## ICH FRAGE NICHT MEHR

Ich weiß, wer auf den Sternen wohnt...

Mein Herz sinkt tief in die Nacht.
So sterben Liebende
Immer an zärtlichen Himmeln vorbei.

Und atmen wieder dem Morgen entgegen
Auf frühleisen Schweben.
Ich aber wandele mit den heimkehrenden Sternen.

Und ich habe viele schlafende Knospen ausgelöscht,
Will ihr Sterben nicht sehn,
Wenn die Rosenhimmel tanzen.

Aus dem Gold meiner Stirne leuchtet der Smaragd,
Der den Sommer färbt.
Ich bin eine Prinzessin.

Mein Herz sinkt tief in die Nacht
An Liebende vorbei.


## ABER ICH FINDE DICH NICHT MEHR — — —

Ich gleite meinen lallenden Händen nach,
Die suchen überall nach dir.

Aber ich finde dich nicht mehr
Unter den Dattelbäumen,
Unter den Zweigen der Träume.

Alle meine starren Kronen sind zerflossen
Vor deinem Lächeln
Und zwischen unseren Lippen jauchzten die Engel.

Ich will meine Augen nicht mehr öffnen,
Wenn sie sich nicht
Mit deiner Süße füllen.

## HEIMLICH ZUR NACHT

Ich habe dich gewählt
Unter allen Sternen.

Und bin wach – eine lauschende Blume
Im summenden Laub.

Unsere Lippen wollen Honig bereiten,
Unsere schimmernden Nächte sind aufgeblüht.

An dem seligen Glanz deines Leibes
Zündet mein Herz seine Himmel an –

Alle meine Träume hängen an deinem Golde,
Ich habe dich gewählt unter allen Sternen.

## WENN DU KOMMST

Wollen wir den Tag im Kelch der Nacht verstecken,
Denn wir sehnen uns nach Nacht.
Goldene Sterne sind unsere Leiber,
Die wollen sich küssen – küssen.

Spürst du den Duft der schlummernden Rosen
Über die dunklen Rasen –
So soll unsere Nacht sein.
Küssen wollen sich unsere goldenen Leiber.

Immer sinke ich in Nacht zur Nacht.
Alle Himmel blühen dicht von funkelnder Liebe.
Küssen wollen sich unsere Leiber, küssen – küssen.

## ICH TRÄUME SO LEISE VON DIR———

Immer kommen am Morgen schmerzliche Farben,
Die sind wie deine Seele.

O, ich muß an dich denken,
Und überall blühen so traurige Augen.

Und ich habe dir doch von großen Sternen erzählt,
Aber du hast zur Erde gesehn.

Nächte wachsen aus meinem Kopf,
Ich weiß nicht wo ich hin soll.

Ich träume so leise von dir –
Weiß hängt die Seide schon über meinen Augen.

Warum hast du nicht um mich
Die Erde gelassen – sage?

## ICH GLAUBE, WIR———

Ich glaube, wir werden uns niemehr wiedersehn –
Der Morgen versteckt sein Auge vor mir.

Ich habe zu lange auf Knieen gelegen
Vor deinem dämmernden Schweigen.

O, unsere Lippen sehnen sich nach Spielen –
Wir hätten uns blühend geküßt unter den großen Sternen.

Totenschleier umhüllen
Die goldglänzenden Glieder des Himmels.
Ich glaube, wir werden uns niemehr wiedersehn.

## Du es ist Nacht –

Wir wollen unsere Sehnsucht teilen,
Und in die Goldgebilde blicken.

Auf der Straße sitzt immer eine Tote
Und bettelt um Almosen.

Und summt meine Lieder
Schon einen weißgewordenen Sommer lang.

Über den Grabweg hinweg
Wollen wir uns lieben,

Tollkühne Knaben,
Könige, die sich nur mit dem Szepter berühren.

– Frage nicht – ich lausche
Deiner Augen Rauschehonig.

Die Nacht ist eine weiche Rose,
Wir wollen uns in ihren Kelch legen,

Immer ferner versinken,
Ich bin müde vom Tod.

Wenn ich nicht bald eine blaue Insel finde....
Erzähle mir von ihren Wundern!!

## DAS LIED MEINES LEBENS

Sieh in mein verwandertes Gesicht....
Tiefer beugen sich die Sterne.
Sieh in mein verwandertes Gesicht.

Alle meine Blumenwege
Führen auf dunkle Gewässer,
Geschwister, die sich tödlich stritten.

Greise sind die Sterne geworden.....
Sieh in mein verwandertes Gesicht.

# MEINE WUNDER

## Nun schlummert meine Seele

Der Sturm hat ihre Stämme gefällt,
O, meine Seele war ein Wald.

Hast du mich weinen gehört?
Weil deine Augen bang geöffnet stehn.
Sterne streuen Nacht
In mein vergossenes Blut.

Nun schlummert meine Seele
Zagend auf Zehen.

O, meine Seele war ein Wald;
Palmen schatteten,
An den Ästen hing die Liebe.
Tröste meine Seele im Schlummer.


## Ankunft

Ich bin am Ziel meines Herzens angelangt.
Weiter führt kein Strahl.
Hinter mir laß ich die Welt,
Fliegen die Sterne auf: Goldene Vögel.

Hißt der Mondturm die Dunkelheit –
...O, wie mich leise eine süße Weise betönt...
Aber meine Schultern heben sich, hochmütige Kuppeln.

## DIE STIMME EDENS

Wilder, Eva, bekenne schweifender,
Deine Sehnsucht war die Schlange,
Ihre Stimme wand sich über deine Lippe,
Und biß in den Saum deiner Wange.

Wilder, Eva, bekenne reißender,
Den Tag, den du Gott abrangst,
Da du zu früh das Licht sahst
Und in den blinden Kelch der Scham sankst.

Riesengroß
Steigt aus deinem Schoß
Zuerst wie Erfüllung zagend,
Dann sich ungestüm raffend,
Sich selbst schaffend,
Gottesseele....

Und sie wächst
Über die Welt hinaus,
Ihren Anfang verlierend,
Über alle Zeit hinaus,
Und zurück um dein Tausendherz,
Ende überragend....

Singe, Eva, dein banges Lied einsam,
Einsamer, tropfenschwer wie dein Herz schlägt,
Löse die düstere Tränenschnur,
Die sich um den Nacken der Welt legt.

Wie das Mondlicht wandele dein Antlitz,
Du bist schön....
Singe, singe, horch, den Rauscheton
Spielt die Nacht und weiß nichts vom Geschehn.

Überall das taube Getöse –
Deine Angst rollt über die Erdstufen
Den Rücken Gottes herab.

Kaum rastet eine Spanne zwischen ihm und dir.
Birg dich tief in das Auge der Nacht,
Daß dein Tag nachtdunkel trage.

Himmel ersticken, die sich nach Sternen bücken –
Eva, Hirtin, es gurren
Die blauen Tauben in Eden.

Eva, kehre um vor der letzten Hecke noch!
Wirf nicht Schatten mit dir,
Blühe aus, Verführerin.

Eva, du heiße Lauscherin,
O du schaumweiße Traube,
Flüchte um vor der Spitze deiner schmalsten Wimper noch!


## IN DEINE AUGEN

Blau wird es in deinen Augen –
Aber warum zittert all mein Herz
Vor deinen Himmeln.

Nebel liegt auf meiner Wange
Und mein Herz beugt sich zum Untergange.


## VON WEIT

Dein Herz ist wie die Nacht so hell,
Ich kann es sehn
– Du denkst an mich – es bleiben alle Sterne stehn.

Und wie der Mond von Gold dein Leib
Dahin so schnell
Von weit er scheint.

## WO MAG DER TOD MEIN HERZ LASSEN?

Immer tragen wir Herz vom Herzen uns zu.
Pochende Nacht
Hält unsere Schwellen vereint.

Wo mag der Tod mein Herz lassen?
In einem Brunnen, der fremd rauscht –

In einem Garten, der steinern steht –
Er wird es in einen reißenden Fluß werfen.

Mir bangt vor der Nacht,
Daran kein Stern hängt.

Denn unzählige Sterne meines Herzens
Vergolden deinen Blutspiegel.

Liebe ist aus unserer Liebe vielfältig erblüht.
Wo mag der Tod mein Herz lassen?


## LEISE SAGEN –

Du nahmst dir alle Sterne
Über meinem Herzen.

Meine Gedanken kräuseln sich,
Ich muß tanzen.

Immer tust du das, was mich aufschauen läßt,
Mein Leben zu müden.

Ich kann den Abend nicht mehr
Über die Hecken tragen.

Im Spiegel der Bäche
Finde ich mein Bild nicht mehr.

Dem Erzengel hast du
Die schwebenden Augen gestohlen;

Aber ich nasche vom Seim
Ihrer Bläue.

Mein Herz geht langsam unter
Ich weiß nicht wo –

Vielleicht in deiner Hand.
Überall greift sie an mein Gewebe.


## EIN ALTER TIBETTEPPICH

Deine Seele, die die meine liebet,
Ist verwirkt mit ihr im Teppichtibet.

Strahl in Strahl, verliebte Farben,
Sterne, die sich himmellang umwarben.

Unsere Füße ruhen auf der Kostbarkeit,
Maschentausendabertausendweit.

Süßer Lamasohn auf Moschuspflanzenthron,
Wie lange küßt dein Mund den meinen wohl
Und Wang die Wange buntgeknüpfte Zeiten schon?


## ICH BIN TRAURIG

Deine Küsse dunkeln, auf meinem Mund.
Du hast mich nicht mehr lieb.

Und wie du kamst –!
Blau vor Paradies;

Um deinen süßesten Brunnen
Gaukelte mein Herz.

Nun will ich es schminken,
Wie die Freudenmädchen
Die welke Rose ihrer Lende röten.

Unsere Augen sind halb geschlossen,
Wie sterbende Himmel –

Alt ist der Mond geworden.
Die Nacht wird nicht mehr wach.

Du erinnerst dich meiner kaum.
Wo soll ich mit meinem Herzen hin?


## ABEND

Hauche über den Frost meines Herzens
Und wenn du es zwitschern hörst,
Fürchte dich nicht vor seinem schwarzen Lenz.

Immer dachte das kalte Wundergespenst an mich
Und säete unter meinen Füßen – Schierling.

Nun prägt in Sternen auf meine Leibessäule
Ein weinender Engel die Inschrift.


## UND SUCHE GOTT

Ich habe immer vor dem Rauschen meines Herzens gelegen,
Nie den Morgen gesehen,
Nie Gott gesucht.
Nun aber wandle ich um meines Kindes
Goldgedichtete Glieder
Und suche Gott.

Ich bin müde vom Schlummer,
Weiß nur vom Antlitz der Nacht.
Ich fürchte mich vor der Frühe,
Sie hat ein Gesicht
Wie die Menschen, die fragen.

Ich habe immer vor dem Rauschen meines Herzens gelegen;
Nun aber taste ich um meines Kindes
Gottgelichtete Glieder.


HEIMWEH

Ich kann die Sprache
Dieses kühlen Landes nicht,
Und seinen Schritt nicht gehn.

Auch die Wolken, die vorbeiziehn,
Weiß ich nicht zu deuten.

Die Nacht ist eine Stiefkönigin.

Immer muß ich an die Pharaonenwälder denken
Und küsse die Bilder meiner Sterne.

Meine Lippen leuchten schon
Und sprechen Fernes,

Und bin ein buntes Bilderbuch
Auf deinem Schoß.

Aber dein Antlitz spinnt
Einen Schleier aus Weinen.

Meinen schillernden Vögeln
Sind die Korallen ausgestochen,

An den Hecken der Gärten
Versteinern sich ihre weichen Nester.

Wer salbt meine toten Paläste –
Sie trugen die Kronen meiner Väter,
Ihre Gebete versanken im heiligen Fluß.


## RAST

Mit einem stillen Menschen will ich wandern
Über die Berge meiner Heimat,
Schluchzend über Schluchten,
Über hingestreckte Lüfte.

Überall beugen sich die Zedern
Und streuen Blüten.

Aber meine Schulter hängt herab
Von der Last des Flügels.
Suche ewige, stille Hände:
Mit meiner Heimat will ich wandern.


## MARIE VON NAZARETH

Träume, säume, Marienmädchen –
Überall löscht der Rosenwind
Die schwarzen Sterne aus.
Wiege im Arme dein Seelchen.

Alle Kinder kommen auf Lämmern
Zottehotte geritten,
Gottlingchen sehen –

Und die vielen Schimmerblumen
An den Hecken –
Und den großen Himmel da
Im kurzen Blaukleide!

KETE PARSENOW

Du bist das Wunder im Land,
Rosenöl fließt unter deiner Haut,

Vom Gegold deiner Haare
Nippen Träume;
Ihre Deutungen verkünden Dichter.

Du bist dunkel vor Gold –
Auf deinem Antlitz erwachen
Die Nächte der Liebenden.

Ein Lied bist du
Gestickt auf Blondgrund,
Du stehst im Mond...

Immer wiegen dich
Die Bambusweiden.


VOLLMOND

Leise schwimmt der Mond durch mein Blut...
Schlummernde Töne sind die Augen des Tages
Wandelhin – taumelher –

Ich kann deine Lippen nicht finden...
Wo bist du, ferne Stadt
Mit den segnenden Düften?

Immer senken sich meine Lider
Über die Welt – alles schläft.

MEINEM SO GELIEBTEN SPIELGEFÄHRTEN
SENNA HOY

*In Moskau der Prinz Sascha*
*Saß sündlos gefangen sieben Jahr.*

## BALLADE

*(Erste Fassung)*

Trotzendes Gold seine Stirn war,
Süßer Todstrahl sein Haar,
Seine Lippen blühten am Altar.

Ob er kommt dieses Jahr –
Sein Herz pocht ganz nah.

Wo steck ich meinen Liebsten hin,
Da ich nur seine Blume bin –

Dem Dichter färbt er die Schläfe rot.
Mit der Axt schlägt er den Ritter tot.
Aber den König trifft er nicht,
Der hat meines Bruders steinern Gesicht.
        O, Sascha!

## BALLADE

*(Zweite Fassung)*

Sascha kommt aus Sibirien heim;
Wie er aussehn mag?

Trotzendes Gold seine Stirne war,
Süßer Todstrahl sein Haar,
Seine Lippen brannten am Altar.

Sascha trank meinen Herzseim
Jede Nacht, die am Traumhang lag.

Was er sagen mag –
Wie er klagen mag –

Wo steck ich meinen Liebsten hin?
Da ich ihm untreu war
Und doch nur seine Blume bin.

Dem Dichter färbt er die Schläfe rot,
Seine Ehre sticht den Wilddieb tot.

Aber den König trifft er nicht,
Der hat meines Bruders steinern Gesicht.
Sascha!


SENNA HOY

Wenn du sprichst,
Wacht mein buntes Herz auf.

Alle Vögel üben sich
Auf deinen Lippen.

Immerblau streut deine Stimme
Über den Weg;

Wo du erzählst, wird Himmel.

Deine Worte sind aus Lied geformt,
Ich traure, wenn du schweigst.

Singen hängt überall an dir –
Wie du wohl träumen magst?

## MEIN LIEBESLIED

Auf deinen Wangen liegen
Goldene Tauben.

Aber dein Herz ist ein Wirbelwind,
Dein Blut rauscht, wie mein Blut –

Süß
An Himbeersträuchern vorbei.

O, ich denke an dich – –
Die Nacht frage nur.

Niemand kann so schön
Mit deinen Händen spielen,

Schlösser bauen, wie ich
Aus Goldfinger;

Burgen mit hohen Türmen!
Strandräuber sind wir dann.

Wenn du da bist,
Bin ich immer reich.

Du nimmst mich so zu dir,
Ich sehe dein Herz sternen.

Schillernde Eidechsen
Sind deine Geweide.

Du bist ganz aus Gold –
Alle Lippen halten den Atem an.

## SIEHST DU MICH

Zwischen Erde und Himmel?
Nie ging einer über meinen Pfad.

Aber dein Antlitz wärmt meine Welt,
Von dir geht alles Blühen aus.

Wenn du mich ansiehst,
Wird mein Herz süß.

Ich liege unter deinem Lächeln
Und lerne Tag und Nacht bereiten,

Dich hinzaubern und vergehen lassen,
Immer spiele ich das eine Spiel.


## EIN LIEBESLIED

Aus goldenem Odem
Erschufen uns Himmel.
O, wie wir uns lieben...

Vögel werden Knospen an den Ästen,
Und Rosen flattern auf.

Immer suche ich nach deinen Lippen
Hinter tausend Küssen.

Eine Nacht aus Gold,
Sterne aus Nacht...
Niemand sieht uns.

Kommt das Licht mit dem Grün,
Schlummern wir;
Nur unsere Schultern spielen noch wie Falter.

## EIN LIED DER LIEBE

Seit du nicht da bist,
Ist die Stadt dunkel.

Ich sammle die Schatten
Der Palmen auf,
Darunter du wandeltest.

Immer muß ich eine Melodie summen,
Die hängt lächelnd an den Ästen.

Du liebst mich wieder –
Wem soll ich mein Entzücken sagen?

Einer Waise oder einem Hochzeitler,
Der im Widerhall das Glück hört.

Ich weiß immer,
Wann du an mich denkst –

Dann wird mein Herz ein Kind
Und schreit.

An jedem Tor der Straße
Verweile ich und träume;

Ich helfe der Sonne deine Schönheit malen
An allen Wänden der Häuser.

Aber ich magere
An deinem Bilde.

Um schlanke Säulen schlinge ich mich
Bis sie schwanken.

Überall steht Wildedel,
Die Blüten unseres Blutes.

Wir tauchen in heilige Moose,
Die aus der Wolle goldener Lämmer sind.

Wenn doch ein Tiger
Seinen Leib streckte

Über die Ferne, die uns trennt,
Wie zu einem nahen Stern.

Auf meinem Angesicht
Liegt früh dein Hauch.


EIN TRAUERLIED

Eine schwarze Taube ist die Nacht
... Du denkst so sanft an mich.

Ich weiß, dein Herz ist still,
Mein Name steht auf seinem Saum.

Die Leiden, die dir gehören,
Kommen zu mir.

Die Seligkeiten, die dich suchen,
Sammele ich unberührt.

So trage ich die Blüten deines Lebens
Weiter fort.

Und möchte doch mit dir stille stehn;
Zwei Zeiger auf dem Zifferblatt.

O, alle Küsse sollen schweigen
Auf beschienenen Lippen liebentlang.

Niemehr soll es früh werden,
Da man deine Jugend brach.

In deiner Schläfe
Starb ein Paradies.

Mögen sich die Traurigen
Die Sonne in den Tag malen.

Und die Trauernden
Schimmer auf ihre Wangen legen.

Im schwarzen Wolkenkelche
Steht die Mondknospe.

...Du denkst so sanft an mich.


SASCHA

Um deine Lippen blüht noch jung
Der Trotz dunkelrot,

Aber auf deiner Stirne sind meine Gebete
Vom Sturm verwittert.

Daß wir uns im Leben
Nie küssen sollten...

Nun bist du der Engel,
Der auf meinem Grab steht.

Das Atmen der Erde bewegt
Meinen Leib wie lebendig.

Mein Herz scheint hell
Vom Rosenblut der Hecken.

Aber ich bin tot, Sascha,
Und das Lächeln liegt abgepflückt
Nur noch kurz auf meinem Gesicht.

## SENNA HOY

Seit du begraben liegst auf dem Hügel,
Ist die Erde süß.

Wo ich hingehe nun auf Zehen,
Wandele ich über reine Wege.

O deines Blutes Rosen
Durchtränken sanft den Tod.

Ich habe keine Furcht mehr
Vor dem Sterben.

Auf deinem Grabe blühe ich schon
Mit den Blumen der Schlingpflanzen.

Deine Lippen haben mich immer gerufen,
Nun weiß mein Name nicht mehr zurück.

Jede Schaufel Erde, die dich barg,
Verschüttete auch mich.

Darum ist immer Nacht an mir,
Und Sterne schon in der Dämmerung.

Und ich bin unbegreiflich unseren Freunden
Und ganz fremd geworden.

Aber du stehst am Tor der stillsten Stadt
Und wartest auf mich, du Großengel.

MEINEM REINEN LIEBESFREUND
HANS EHRENBAUM-DEGELE

*Tristan kämpfte in Feindesland;*
*Viel Lieder hat er heimgesandt*
*Bis der Feind brach seinen Leib.*

### HANS EHRENBAUM-DEGELE

Er war der Ritter in Goldrüstung.
Sein Herz ging auf sieben Rubinen.

Darum trugen seine Tage
Den lauteren Sonntagsglanz.

Sein Leben war ein lyrisches Gedicht,
Die Kriegsballade sein Tod.

Er sang den Frauen Lieder
In süßerlei Abendfarben.

Goldnelken waren seine Augen,
Manchmal stand Tau in ihnen.

Einmal sagte er zu mir:
»Ich muß früh sterben.«

Da weinten wir beide
Wie nach seinem Begräbnis.

Seitdem lagen seine Hände
Oft in den meinen.

Immer hab ich sie gestreichelt,
Bis sie die Waffe ergriffen.

## ALS ICH TRISTAN KENNEN LERNTE –

O,
Du mein Engel,
Wir schweben nur noch
In holden Wolken.

Ich weiß nicht, ob ich lebe
Oder süß gestorben bin
In deinem Herzen.

Immer feiern wir Himmelfahrt
Und viel, viel Schimmer.

Goldene Heiligenbilder
Sind deine Augen.

Sage – wie ich bin?
Überall wollen Blumen aus mir.

## AN DEN GRALPRINZEN

Wenn wir uns ansehn,
Blühn unsere Augen.

Und wie wir staunen
Vor unseren Wundern – nicht?
Und alles wird so süß.

Von Sternen sind wir eingerahmt
Und flüchten aus der Welt.

Ich glaube wir sind Engel.

## AN DEN PRINZEN TRISTAN

Auf deiner blauen Seele
Setzen sich die Sterne zur Nacht.

Man muß leise mit dir sein,
O, du mein Tempel,
Meine Gebete erschrecken dich;

Meine Perlen werden wach
Von meinem heiligen Tanz.

Es ist nicht Tag und nicht Stern,
Ich kenne die Welt nicht mehr,
Nur dich – alles ist Himmel.


## AN DEN RITTER AUS GOLD

Du bist alles was aus Gold ist
In der großen Welt.

Ich suche deine Sterne
Und will nicht schlafen.

Wir wollen uns hinter Hecken legen,
Uns niemehr aufrichten.

Aus unseren Händen
Süße Träumerei küssen.

Mein Herz holt sich
Von deinem Munde Rosen.

Meine Augen lieben dich an,
Du haschst nach ihren Faltern.

Was soll ich tun,
Wenn du nicht da bist.

Von meinen Lidern
Tropft schwarzer Schnee;

Wenn ich tot bin,
Spiele du mit meiner Seele.


## AN DEN RITTER

Gar keine Sonne ist mehr,
Aber dein Angesicht scheint.

Und die Nacht ohne Wunder,
Du bist mein Schlummer.

Dein Auge zuckt wie Sternschnuppe –
Immer wünsche ich mir etwas.

Lauter Gold ist dein Lachen,
Mein Herz tanzt in den Himmel.

Wenn eine Wolke kommt –
Sterbe ich.


## AN TRISTAN

Ich kann nicht schlafen mehr,
Immer schüttelst du Gold über mich.

Und eine Glocke ist mein Ohr,
Wem vertraust du dich?

So hell wie du,
Blühen die Sträucher im Himmel.

Engel pflücken sich dein Lächeln
Und schenken es den Kindern.

Die spielen Sonne damit
Ja..

GOTTFRIED BENN

*Der hehre König Giselheer*
*Stieß mit seinem Lanzenspeer*
*Mitten in mein Herz.*

## O, DEINE HÄNDE

Sind meine Kinder.
Alle meine Spielsachen
Liegen in ihren Gruben.

Immer spiel ich Soldaten
Mit deinen Fingern, kleine Reiter,
Bis sie umfallen.

Wie ich sie liebe
Deine Bubenhände, die zwei.

## GISELHEER DEM HEIDEN

Ich weine –
Meine Träume fallen in die Welt.

In meine Dunkelheit
Wagt sich kein Hirte.

Meine Augen zeigen nicht den Weg
Wie die Sterne.

Immer bettle ich vor deiner Seele;
Weißt du das?

Wär ich doch blind –
Dächte dann, ich läg in deinem Leib.

Alle Blüten täte ich
Zu deinem Blut.

Ich bin vielreich,
Niemandwer kann mich pflücken;

Oder meine Gaben tragen
Heim.

Ich will dich ganz zart mich lehren;
Schon weißt du mich zu nennen.

Sieh meine Farben,
Schwarz und stern

Und mag den kühlen Tag nicht,
Der hat ein Glasauge.

Alles ist tot,
Nur du und ich nicht.


GISELHEER DEM KNABEN


An meiner Wimper hängt ein Stern,
Es ist so hell
Wie soll ich schlafen –

Und möchte mit dir spielen.
– Ich habe keine Heimat –
Wir spielen König und Prinz.

## GISELHEER DEM KÖNIG

Ich bin so allein
Fänd ich den Schatten
Eines süßen Herzens.

– Oder mir jemand
Einen Stern schenkte –

Immer fingen ihn
Die Engel auf
So hin und her.

Ich fürchte mich
Vor der schwarzen Erde.
Wie soll ich fort?

Möchte in den Wolken
Begraben sein,
Überall wo Sonne wächst,

Liebe dich so!
Du mich auch?
Sag es doch – – –

## LAUTER DIAMANT

Ich hab in deinem Antlitz
Meinen Sternenhimmel ausgeträumt.

Alle meine bunten Kosenamen
Gab ich dir,

Und legte die Hand
Unter deinen Schritt,

Als ob ich dafür
Ins Jenseits käme.

Immer weint nun
Vom Himmel deine Mutter,

Da ich mich schnitzte
Aus deinem Herzfleische,

Und du so viel Liebe
Launisch verstießest.

Dunkel ist es –
Es flackert nur noch
Das Licht meiner Seele.

## DAS LIED DES SPIELPRINZEN

Wie kann ich dich mehr noch lieben?
Ich sehe den Tieren und Blumen
Bei der Liebe zu.

Küssen sich zwei Sterne,
Oder bilden Wolken ein Bild –
Wir spielten es schon zarter.

Und deine harte Stirne,
Ich kann mich so recht an sie lehnen,
Sitz drauf wie auf einem Giebel.

Und in deines Kinnes Grube
Bau ich mir ein Raubnest –
Bis – du mich aufgefressen hast.

Find dann einmal morgens
Nur noch meine Kniee,
Zwei gelbe Skarabäen für eines Kaisers Ring.

### HINTER BÄUMEN BERG ICH MICH

Bis meine Augen ausgeregnet haben,

Und halte sie tief verschlossen,
Daß niemand dein Bild schaut.

Ich schlang meine Arme um dich
Wie Gerank.

Bin doch mit dir verwachsen,
Warum reißt du mich von dir?

Ich schenkte dir die Blüte
Meines Leibes,

Alle meine Schmetterlinge
Scheuchte ich in deinen Garten.

Immer ging ich durch Granaten,
Sah durch dein Blut

Die Welt überall brennen
Vor Liebe.

Nun aber schlage ich mit meiner Stirn
Meine Tempelwände düster.

O du falscher Gaukler,
Du spanntest ein loses Seil.

Wie kalt mir alle Grüße sind,
Mein Herz liegt bloß,

Mein rot Fahrzeug
Pocht grausig.

Bin immer auf See
Und lande nicht mehr.

## GISELHEER DEM TIGER

Über dein Gesicht schleichen die Dschungeln.
O, wie du bist!

Deine Tigeraugen sind süß geworden
In der Sonne.

Ich trag dich immer herum
Zwischen meinen Zähnen.

Du mein Indianerbuch,
Wild West,
Siouxhäuptling!

Im Zwielicht schmachte ich
Gebunden am Buxbaumstamm –

Ich kann nicht mehr sein
Ohne das Skalpspiel.

Rote Küsse malen deine Messer
Auf meine Brust –

Bis mein Haar an deinem Gürtel flattert.


## KLEIN STERBELIED

So still ich bin,
All Blut rinnt hin.

Wie weich umher.
Nichts weiß ich mehr.

Mein Herz noch klein,
Starb leis an Pein.

War blau und fromm!
O Himmel, komm.

Ein tiefer Schall –
Nacht überall.

## O GOTT

Überall nur kurzer Schlaf
Im Mensch, im Grün, im Kelch der Winde.
Jeder kehrt in sein totes Herz heim.

– Ich wollt die Welt wär noch ein Kind –
Und wüßte mir vom ersten Atem zu erzählen.

Früher war eine große Frömmigkeit am Himmel,
Gaben sich die Sterne die Bibel zu lesen.
Könnte ich einmal Gottes Hand fassen
Oder den Mond an seinem Finger sehn.

O Gott, o Gott, wie weit bin ich von dir!

## HÖRE

Ich raube in den Nächten
Die Rosen deines Mundes,
Daß keine Weibin Trinken findet.

Die dich umarmt,
Stiehlt mir von meinen Schauern,
Die ich um deine Glieder malte.

Ich bin dein Wegrand.
Die dich streift,
Stürzt ab.

Fühlst du mein Lebtum
Überall
Wie ferner Saum?


## VERINNERLICHT

Ich denke immer ans Sterben,
Mich hat niemand lieb.

Ich wollt ich wär still Heiligenbild
Und alles in mir ausgelöscht.

Träumerisch färbte Abendrot
Meine Augen wund verweint.

Weiß nicht wo ich hin soll
Wie überall zu dir.

Bist meine heimliche Heimat
Und will nichts Leiseres mehr.

Wie blühte ich gern süß empor
An deinem Herzen himmelblau –

Lauter weiche Wege
Legte ich um dein pochend Haus.


## NUR DICH

Der Himmel trägt im Wolkengürtel
Den gebogenen Mond.

Unter dem Sichelbild
Will ich in deiner Hand ruhn.

Immer muß ich wie der Sturm will,
Bin ein Meer ohne Strand.

Aber seit du meine Muscheln suchst,
Leuchtet mein Herz.

Das liegt auf meinem Grund
Verzaubert.

Vielleicht ist mein Herz die Welt,
Pocht –

Und sucht nur noch dich –
Wie soll ich dich rufen?


## DEM BARBAREN

Deine rauhen Blutstropfen
Süßen auf meiner Haut.

Nenne meine Augen nicht Verräterinnen,
Da sie deine Himmel umschweben;

Ich lehne lächelnd an deiner Nacht
Und lehre deine Sterne spielen.

Und trete singend durch das rostige Tor
Deiner Seligkeit.

Ich liebe dich und nahe weiß
Und verklärt auf Wallfahrtzehen.

Trage dein hochmütiges Herz,
Den reinen Kelch den Engeln entgegen.

Ich liebe dich wie nach dem Tode
Und meine Seele liegt über dich gebreitet –

Meine Seele fing alle Leiden auf,
Dich erschüttern ihre schmerzlichen Bilder.

Aber so viele Rosen blühen,
Die ich dir schenken will;

O, ich möchte dir alle Gärten bringen
In einem Kranz.

Immer denke ich an dich,
Bis die Wolken sinken;

Wir wollen uns küssen –
Nicht?


## DEM BARBAREN

Ich liege in den Nächten
Auf deinem Angesicht.

Auf deines Leibes Steppe
Pflanze ich Zedern und Mandelbäume.

Ich wühle in deiner Brust unermüdlich
Nach den goldenen Freuden Pharaos.

Aber deine Lippen sind schwer,
Meine Wunder erlösen sie nicht.

Hebe doch deine Schneehimmel
Von meiner Seele –

Deine diamantnen Träume
Schneiden meine Adern auf.

Ich bin Joseph und trage einen süßen Gürtel
Um meine bunte Haut.

Dich beglückt das erschrockene Rauschen
Meiner Muscheln.

Aber dein Herz läßt keine Meere mehr ein.
O du!

O ICH MÖCHT AUS DER WELT

Dann weinst du um mich.
Blutbuchen schüren
Meine Träume kriegerisch.

Durch finster Gestrüpp
Muß ich
Und Gräben und Wasser.

Immer schlägt wilde Welle
An mein Herz;
Innerer Feind.

O ich möchte aus der Welt!
Aber auch fern von ihr
Irr ich, ein Flackerlicht

Um Gottes Grab.

## HANS ADALBERT VON MALTZAHN

*Der Freiherr mußte Vicemalik sein*
*In meiner bunten Thebenstadt,*
*Als ich nach Rußland zog,*
*Prinz Sascha zu befrein.*


### AN HANS ADALBERT

Wenn du sprichst
Blühen deine Worte auf in meinem Herzen.

Über deine hellen Haare
Schweben meine Gedanken schwarzhin.

Du bist ganz aus Süderde und Liebe
Und Stern und Taumel.

Ich aber bin lange schon gestorben.
O, du meine Himmelsstätte...


### DEM HERZOG VON LEIPZIG

Deine Augen sind gestorben;
Du warst so lange auf dem Meer.

Aber auch ich bin
Ohne Strand.

Meine Stirne ist aus Muschel.
Tang und Seestern hängen an mir.

Einmal möchte ich mit meiner ziellosen Hand
Über dein Gesicht fassen,

Oder eine Eidechse über deine Lippen
Liebentlang mich kräuseln.

Weihrauch strömt aus deiner Haut,
Und ich will dich feiern,

Dir bringen meine Gärten,
Überall blüht mein Herz bunt auf.

## ABER DEINE BRAUEN SIND UNWETTER...

In der Nacht schweb ich ruhlos am Himmel
Und werde nicht dunkel vom Schlaf.

Um mein Herz schwirren Träume
Und wollen Süßigkeit.

Ich habe lauter Zacken an den Randen,
Nur du trinkst Gold unversehrt.

Ich bin ein Stern
In der blauen Wolke deines Angesichts.

Wenn mein Glanz in deinem Auge spielt,
Sind wir eine Welt.

Und würden entschlummern verzückt –
Aber deine Brauen sind Unwetter.

## DU MACHST MICH TRAURIG – HÖR

Bin so müde.
Alle Nächte trag ich auf dem Rücken
Auch deine Nacht,
Die du so schwer umträumst.

Hast du mich lieb?
Ich blies dir arge Wolken von der Stirn
Und tat ihr blau.

Was tust du mir in meiner Todesstunde?

PAUL LEPPIN

*Der König von Böhmen*
*Schenkte mir seine Dichtung Daniel Jesus.*
*Ich schlug sie auf und las: Der lieben, lieben, lieben,*
*lieben Prinzessin*
*Ich schrieb ihm auf einen himmelblauen*
*Bogen: Süßer Daniel Jesus Paul.*

## DEM KÖNIG VON BÖHMEN

Ich frage nicht mehr –
Ich weiß wer auf den Sternen wohnt......

Mein Herz sinkt tief in die Nacht.
So sterben Liebende
Immer an zärtlichen Himmeln vorbei;

Und atmen wieder dem Morgen entgegen
Auf frühleisen Schweben.
Ich aber wandele mit den heimkehrenden Sternen.

Und ich habe viele schlafende Knospen ausgelöscht,
Will ihr Sterben nicht sehn,
Wenn die Rosenhimmel tanzen.

Aus dem Gold meiner Stirne leuchtet der Smaragd,
Der den Sommer färbt.
Ich bin eine Prinzessin.

Mein Herz sinkt tief in die Nacht
An Liebende vorbei.

## DEM DANIEL JESUS PAUL

Du es ist Nacht –
Wir wollen unsere Sehnsucht teilen,
Und in die Goldgebilde blicken.

Vor meinem Herzen sitzt immer eine Tote
Und bettelt um Almosen.

Und summt meine Lieder
Schon einen weißgewordenen Sommer lang.

Über den Grabweg hinweg
Wollen wir uns lieben,

Tollkühne Knaben,
Könige, die sich nur mit dem Szepter berühren!

Frage nicht – ich lausche
Deiner Augen Rauschehonig.

Die Nacht ist eine weiche Rose,
Wir wollen uns in ihren Kelch legen,

Immer ferner versinken,
Ich bin müde vom Tod!

## AN ZWEI FREUNDE

Ich blicke nachts in euren stillen Stern.
Es schwimmen Tränen braun um meinen Mandelkern
Und meine Schellen spielen süß am Kleiderrand.

Ich trage einen wilden Kork im Ohrlapp,
Und Monde tätowiert auf meiner Hand.
Versteinte Käfer fallen von der Schnur ab.

Ich liebe euer glitzernd Zackenland,
Und sehne mich nach goldnem Edelpunsche,
Aufglimme unsichtbar in eurem Wunsche.


## LAURENCIS

Ich gab dir einen Namen
Wie eine fromme Guirlande.

Darum will ich ihn
Nur immer liebend rufen.

Du siehst mich golden schimmern
Durch mein Abendherz.

Und nicht so trübe
Wie der Nebel es staubfällig färbt.

Meine Seele spielte Auferstehn,
Wenn Augen wie schlafende Täler lagen.

Und ich kenne alle Engel,
Denen habe ich von dir erzählt.

Es blüht die Aster meines Mundes
Mit deiner Lippen Rittersporn.

Und ich wache vor unserer Liebe
Denn ihre Küsse sollen Knospen bleiben.

## ABSCHIED

Aber du kamst nie mit dem Abend –
Ich saß im Sternenmantel.

...Wenn es an mein Haus pochte,
War es mein eigenes Herz.

Das hängt nun an jedem Türpfosten,
Auch an deiner Tür;

Zwischen Farren verlöschende Feuerrose
Im Braun der Guirlande.

Ich färbte dir den Himmel brombeer
Mit meinem Herzblut.

Aber du kamst nie mit dem Abend –
...Ich stand in goldenen Schuhen.


## SAVARY LE DUC

Wie Perlen hängen seine Bilder
Schaumleicht an seidenen Wänden aufgereiht.

Mit goldenem Harz der Hagebutten
Und Rosenseime,
Malt er der Prinzen Liebeskleid.

Um ihren zarten Schultern tragen sie
An Ketten – Souvenir – im Medaillon
Verzückt des Freundes Paradeis.

Und ihre Hände spielen mit den Bächen
Und feinen Blumenstengeln
Und dem jungen Reis.

Und necken gern den Ziegenbock.
Glasäugig lauscht die graue Geiß.

Und ihre Leiber lieben sich
Wie süßgeblühte Bohnenstöcke,
Die sich bewegen kaum in ihrer Adeligkeit.


## UNSER LIEBESLIED

Unter der Wehmut der Esche
Lächeln die Augen meiner Freundin.

Und ich muß weinen
Überall wo Rosen aufblühn.

Wir hören beide unseren Namen nicht –
Immer Nachtwandlerinnen zwischen den bunten Jünglingen.

Meine Freundin gaukelt mit dem Mond,
Unserm Sternenspiel folgen Erschrockene nach.

O, unsere Schwärmerei berauscht
Die Straßen und Plätze der Stadt.

Alle Träume lauschen gebannt hinter den Hecken
Kann nicht Morgen werden –

Und die seidige Nacht uns beiden
Tausendmalimmer um den Hals geschlungen.

Wie ich mich drehen muß!

Und meine Freundin küßt taumelnd den Rosigtau
Unter dem Düster des Trauerbaums.

PALMENLIED

O du Süßgeliebter,
Dein Angesicht ist mein Palmengarten,
Deine Augen sind schimmernde Nile
Lässig um meinen Tanz.

In deinem Angesicht sind verzaubert
Alle die Bilder meines Blutes,
Alle die Nächte, die sich in mir gespiegelt haben.

Wenn deine Lippen sich öffnen,
Verraten sie meine Seligkeiten.

Immer dieses Pochen nach dir –
Und hatte schon geopfert meine Seele.

Du mußt mich inbrünstig küssen,
Süßerlei Herzspiel;
Wir wollen uns im Himmel verstecken.

O du Süßgeliebter.


ABSCHIED

Ich wollte dir immerzu
Viele Liebesworte sagen,

Nun suchst du ruhlos
Nach verlorenen Wundern.

Aber wenn meine Spieluhren spielen
Feiern wir Hochzeit.

O, deine süßen Augen
Sind meine Lieblingsblumen.

Und dein Herz ist mein Himmelreich.....
Laß mich hineinschaun.

Du bist ganz aus glitzernder Minze
Und so weich versonnen.

Ich wollte dir immerzu
Viele Liebesworte sagen,

Warum tat ich das nicht?


## DER MÖNCH

In deinem Blick schweben
Alle Himmel zusammen.

Immer hast du die Madonna angesehn,
Darum sind deine Augen überirdisch.

Und mein Herz wird ein Weihbecken,
Besterne dich mit meinem Blut;

Ich will der Tau deiner Frühe sein,
Deiner Abendsehnsucht pochendes Amen.

Du bist heilig zwischen bösem Tanz
Und schrillen Flöten.

Gottes Nachtigall bist du
In seinem Hirtentraum.

Deine Sünden wurden Musik,
Die bewegt süß meine Züge;

Deine Tränen tranken schlafende Blumen,
Die wieder Paradies werden sollen.

Ich liebe dich zauberisch wie im Spiegel des Bachs
Oder fern im wolkengerahmten Blau.


## DEM MÖNCH

Ich taste überall nach deinem Schein.
Suchst du mich auch?

In meiner Stirne leuchtet
Der erblaßte Stern wieder,

Und sehe dich nur in der Welt,
Dein Lächeln immerfort.

Unsere himmelweißen Herzen
Erglühen im Schlaf.

O wir möchten uns küssen,
Aber es wäre wie Mord.

Ich stehe ganz bunt am Granatbaum
In einem Bilderbuch.

Manchmal schaust du auf mich –
Dann singen die Junivögel.


## DEM MÖNCH

Meine Zehen wurden Knospen.
– Sieh, so komm ich zu dir.

Du bist am Rand über dem Tal
Die leuchtende Großkornblume;

Mit deinem Glück färbt sich
Der Himmel die Wangen blau.

Immer öffnet sich mein Wesen –
– Bin eine glitzernde Nische,

Aber du kommst nie zu deiner Anbetung,
Und morgen ist ewige Nacht.

Meine Sehnsucht ist im Sturm meiner Augen
Lange schon verwittert,

Die Korallen in meinem Blut
Sind ganz erblaßt.

Zwischen Dunkelheit verlischt mein Leben
Im scheidenden Antlitz des Mondes.


EIN LIED

Hinter meinen Augen stehen Wasser,
Die muß ich alle weinen.

Immer möcht ich auffliegen,
Mit den Zugvögeln fort;

Buntatmen mit den Winden
In der großen Luft.

O ich bin so traurig – – – –
Das Gesicht im Mond weiß es.

Drum ist viel samtne Andacht
Und nahender Frühmorgen um mich.

Als an deinem steinernen Herzen
Meine Flügel brachen,

Fielen die Amseln wie Trauerrosen
Hoch vom blauen Gebüsch.

Alles verhaltene Gezwitscher
Will wieder jubeln,

Und ich möchte auffliegen
Mit den Zugvögeln fort.

## GOTT HÖR...

Um meine Augen zieht die Nacht sich
Wie ein Ring zusammen.
Mein Puls verwandelte das Blut in Flammen
Und doch war alles grau und kalt um mich.

O Gott und bei lebendigem Tage,
Träum ich vom Tod.
Im Wasser trink ich ihn und würge ihn im Brot.
Für meine Traurigkeit gibt es kein Maß auf deiner Waage.

Gott hör... In deiner blauen Lieblingsfarbe
Sang ich das Lied von deines Himmels Dach –
Und weckte doch in deinem ewigen Hauche nicht den Tag.
Mein Herz schämt sich vor dir fast seiner tauben Narbe.

Wo ende ich? – O Gott!! Denn in die Sterne,
Auch in den Mond sah ich, in alle deiner Früchte Tal.
Der rote Wein wird schon in seiner Beere schal...
Und überall – die Bitternis – in jedem Kerne.


PABLO, NACHTS höre ich die Palmenblätter
Unter deinen Füßen rascheln.

Manchmal muß ich sehr weinen
Um dich vor Glück –

Dann wächst ein Lächeln
Auf deinem lässigen Lide.

Oder es geht dir eine seltene Freude auf:
Deines Herzens schwarze Aster.

Immer wenn du an Gärten vorbei
Das Ende deines Weges erblickst, Pablo,

– Es ist mein ewiger Liebesgedanke,
Der zu dir will.

Und oft wird Schimmer vom Himmel fallen,
Denn es sucht dich am Abend mein goldener Seufzer.

Bald kommt der schmachtende Monat
Über deine holde Stadt;

Unter dem Gartenbaum hängen
Wie bunte Trauben die Vögelscharen,

Und auch ich warte verzaubert
Von Traum behangen.

Du stolzer Eingeborener, Pablo,
Von deinem Angesicht atme ich fremde Liebeslaute;

In deiner Schläfe aber will ich meinen Glücksstern pflanzen,
Mich berauben meiner leuchtenden Blüte.


DIE ENGEL deckten wolkenweiß zum Himmelsmahle,
Des hohen Heimgekehrten Herz nahm Gott aus seiner Schale,
Zu prüfen das geweihte widerspenstige Erz,
O Eleasars Herz rieb sich an Herz,
Entbrannte seinen Stein!
Jerusalem, in seinen Krug gieß deinen Wein
Und laß ihn gären aufbewahrt im Tale.

## ST. PETER HILLE

war eine Welt,
Meteor stieß er von sich.


## RICHARD DEHMEL

Aderlaß und Transfusion zugleich;
Blutgabe deinem Herzen geschenkt.

Ein finsterer Pflanzer ist er,
Dunkel fällt sein Korn und brüllt auf.

Immer Zickzack durch sein Gesicht,
Schwarzer Blitz.

Über ihm steht der Mond doppelt vergrößert.


## FRANZ WERFEL

Ein entzückender Schuljunge ist er;
Lauter Lehrer spuken in seinem Lockenkopf.

Sein Name ist so mutwillig:
Franz Werfel.

Immer schreib ich ihm Briefe,
Die er mit Klecksen beantwortet.

Aber wir lieben ihn alle
Seines zarten, zärtlichen Herzens wegen.

Sein Herz hat Echo,
Pocht verwundert.

Und fromm werden seine Lippen
Im Gedicht.

Manches trägt einen staubigen Turban.
Er ist der Enkel seiner eigenen Verse.

Doch auf seiner Lippe
Ist eine Nachtigall gemalt.

Mein Garten singt,
Wenn er ihn verläßt.

Freude streut seine Stimme
Über den Weg.

## HERODES. V. AUFZUG

Hinter deiner stolzen, ewigen Wimper gingen wir unter.
Schwermütige Sterne brannten auf deinem Lide.

Deine große Hand beugte das Meer
Und brach ihm die Perlen vom Grund.

Die Wüste war dein Schild
In der Schlacht.

An dich dürfen nur Dichter und Dichterinnen denken.
Mit dir nur Könige und Königinnen trauern.

Alle Leiber der Stadt ringeln sich
Giftig um deinen Leib.
Deine Schwester bespie den Traumstein deiner Liebe.

Du, ein beraubter Palast,
Judas schwankende Säule,
Völker bedrohend.

So arg mag nur ein Schöpfer lichtmitten
Seiner Reiche zerbersten.

## KARL VOGT

Der ist aus Gold –
Wenn er auf die Bühne tritt,
Leuchtet sie.

Seine Hand ist ein Szepter,
Wenn sie Regie führt.

Den Trauerspielen Strindbergs
Setzt er Kronen auf,

Aus den Dichtungen Ibsens
Holt er die schwarzen Perlen all.

Er kann nur selbst den König spielen
Im Spiel.

Morgen wird er König sein –
Ich freu mich.

## PAUL ZECH

Sing Groatvatter woar dat verwunschene Bäuerlein
Aus Grimm sinne Märchens.

Der Enkelsonn ist ein Dichter.
Paul Zech schreibt mit der Axt seine Verse.

Man kann sie in die Hand nehmen,
So hart sind die.

Sein Vers wird zum Geschick
Und zum murrenden Volk.

Er läßt Qualm durch sein Herz dringen;
Ein düsterer Beter.

Aber seine Kristallaugen blicken
Unzählige Male den Morgen der Welt.


## PETER BAUM

Er war des Tannenbaums Urenkel,
Unter dem die Herren zu Elberfeld Gericht hielten.

Und freute sich an jedes glitzernd Wort
Und ließ sich feierlich plündern.

Dann leuchteten die beiden Saphire
In seinem fürstlichen Gesicht.

Immer drängte ich, wenn ich krank lag,
»Peter Baum soll kommen!!«

Kam er, war Weihnachten –
Ein Honigkuchen wurde dann mein Herz.

Wie konnten wir uns freuen!
Beide ganz egal.

Und oft bewachte er
Im Sessel schmausend meinen Schlummer.

Rote und gelbe Cyllaxbonbons aß er so gern;
Oft eine ganze Schüssel leer.

Nun schlummert unser lieber Pitter
Schon ewige Nächte lang.

»Wenn ich Euch alle glücklich erst
Im Himmel hätte –«

Sagte einmal gläubig zu den Söhnen
Seine Mutter.

Nun ist der Peter fern bewahrt
Im Himmel.

Und um des Dichters Riesenleib auf dem Soldatenkirchhof
Wächst sanft die Erde pietätvoll.


## GEORG TRAKL

Georg Trakl erlag im Krieg von eigener Hand gefällt.
So einsam war es in der Welt. Ich hatt ihn lieb.


## GEORG TRAKL

Seine Augen standen ganz fern.
Er war als Knabe einmal schon im Himmel.

Darum kamen seine Worte hervor
Auf blauen und auf weißen Wolken.

Wir stritten über Religion,
Aber immer wie zwei Spielgefährten,

Und bereiteten Gott von Mund zu Mund.
Im Anfang war das Wort.

Des Dichters Herz, eine feste Burg,
Seine Gedichte: Singende Thesen.

Er war wohl Martin Luther.

Seine dreifaltige Seele trug er in der Hand,
Als er in den heiligen Krieg zog.

– Dann wußte ich, er war gestorben –

Sein Schatten weilte unbegreiflich
Auf dem Abend meines Zimmers.


## ALICE TRÜBNER

Ihr Angesicht war aus Mondstein,
Darum mußte sie immer träumen.

Durch die Seide ihrer Ebenholzhaare
Schimmerte Tausendundeinenacht.

Ihre Augen weihsagten.
Ein goldenes Bibelblatt war ihr Herz.

Sie thronte einen Himmel hoch
Über die Freunde.

O sie war eine Sternin –
Schimmer streute sie von sich.

Eine Herzogin war sie
Und krönte den armseligsten Gast.

Manchmal aber kam sie vom West:
Ein Wetter in Blitzfarben;

Die sind gefangen über Burgzacken
Im harten Rahmen.

Ihre Bilder viele,
Pietätvolle, bunte Briefe;

Manche aufbewahrt unter Glas
An den Wänden.

Aber auch Gläser und Gräser
Malte Alice Trübner.

Irgendwo zwischen sitzt ein Schelm,
Ein altmodisch dicker Puppenporzellankopf.

Oder sie malte huldvoll die Köchin
Als Frau Lucullus gelassen im Lehnstuhl.

Verwandelte strotzende Früchte in Rosen
Auf weißem Damast.

O, sie war eine Zauberin.


## GEORGE GROSZ

Manchmal spielen bunte Tränen
In seinen äschernen Augen.

Aber immer begegnen ihm Totenwagen,
Die verscheuchen seine Libellen.

Er ist abergläubig –
– Ward unter einem großen Stern geboren –

Seine Schrift regnet,
Seine Zeichnung: Trüber Buchstabe.

Wie lange im Fluß gelegen,
Blähen seine Menschen sich auf.

Mysteriöse Verlorene mit Quappenmäulern
Und verfaulten Seelen.

Fünf träumende Totenfahrer
Sind seine silbernen Finger.

Aber nirgendwo ein Licht im verirrten Märchen
Und doch ist er ein Kind,

Der Held aus dem Lederstrumpf
Mit dem Indianerstamm auf Duzfuß.

Sonst haßt er alle Menschen,
Sie bringen ihm Unglück.

Aber George Grosz liebt sein Mißgeschick
Wie einen anhänglichen Feind.

Und seine Traurigkeit ist dionysisch,
Schwarzer Champagner seine Klage.

Er ist ein Meer mit verhängtem Mond,
Sein Gott ist nur scheintot.


HEINRICH MARIA DAVRINGHAUSEN

– Wie er daherkommt –
Trojanischer junger Priester
Auf grabaltem Holzgefäß.

Zwei Nachtschatten schlaftrinken
In seinem Mahagonikopf,
Seine Lippen küßte ein Gottmädchen hold.

– Wie er gefalten aufstrebt –
Immer tragen seine Schultern
Ehrfürchtigen Samt.

Seine Füße schreiten
Nur über gepflegte Wege,
Stolperten nie über Gestrüpp.

– Wie er gottverhalten ist –
Aus jedem Bild, das er malt,
Blickt allfarbig der Schöpfer.


## MILLY STEGER

Milly Steger ist eine Bändigerin,
Haut Löwen und Panther in Stein.

Vor dem Spielhaus in Elberfeld
Stehen ihre Großgestalten;

Böse Tolpatsche, ernste Hännesken,
Clowne, die mit blutenden Seelen wehen.

Aber auch Brunnen, verschwiegene Weibsmopse
Zwingt Milly rätselhaft nieder.

Manchmal schnitzt die Gulliverin
Aus Zündhölzchen Adam und hinterrücks sein Weib.

Dann lacht sie wie ein Apfel;
Im stahlblauen Auge sitzt der Schalk.

Milly Steger ist eine Büffelin an Wurfkraft;
Freut sie sich auch an dem blühenden Kern der Büsche.

## LEO KESTENBERG

Seine Hände zaubern Musik durch stille Zimmer.
Zwischen uns sitzt dann der ehrwürdige Mond
Goldbehäbig im Lehnstuhl
Und versöhnt uns mit der Welt.

Wenn Leo Kestenberg Flügel spielt,
Ist er ein heiliger Mann;
Erweckt Liszt aus steinernem Schlaf,
Bach feiert Himmelfahrt.

Mit Schumann wird Leo ein Kind
Und Schwärmer am Süßfeuer Chopins.

Der dunkle Flügel verwandelt sich aber zur Orgel
Wenn Kestenberg eigene Rosen spielt.
Sein schweres Ebenholzherz frommütig aufhebt
Und weicher Musikregen uns durchrieselt.

## LUDWIG HARDT

Seiner Heimat Erde ruht
An keiner Bergwand aus;

Ein weiter, weiter Schemel –
Friesland.

Ungehemmt wettern die Wetter
Und die stürmenden Gemüter dort.

Im lüttchen Städtchen Weener
Hockt Ludwigs zottigsteinern Elternnest.

Da einmal flog er mit den Herbstvögeln
Fort über die Ems.

Von hoher Vogelreinheit inbrünstig
Ohne Makel klopft sein Herz.

Und geharnischt ist seine Nase,
Seidene Spenderinnen die feinen Lippen,

Wenn sie die Verse Maria
Rainer Rilkes gastlich reichen.

Werden Rittersporn
In Liliencrons Balladengesängen;

Flattern wie Möven auf,
Lauter »Emmas«, wenn er entzückend

Uns mit Morgensterns
– frei nach Hardt – »kosmischer Meschuggas« beschenkt.

O, Ludwig Hardt liebt seine Dichter,
Die er spricht.

Und vermählt sich mit den Gedichten,
Die er schlicht zu sagen versteht.

Nie deklamiert er!
Das ist es eben.


## HANS HEINRICH VON TWARDOWSKY

Ein Flamingo holte sich als Spielzeug
Den Hans Heinrich aus dem Teich.

Der Mondmann tanzt im goldenen Frack
Mit seinen Sternen Zick und Zack
Wenn Heinrich reimt im Chapeau Claque
In unserer Tacktick.

Er dichtet bis in Herrgottsfrüh
Liebenswürdige Parodie
Wolkenleicht und voll Esprit.

Glücklich schlägt seine Zuckeruhr;
Seine Augen lassen blaue Spur,
Adelige Vergißmeinnie.


## WILHELM SCHMIDTBONN

Er ist der Dichter, dem der Schlüssel
Zur Steinzeit vermacht wurde.

Adam den Urkäfer trägt er,
Ein Skarabäus im Ring.

Wilhelm Schmidtbonn erzählt vom Paradies;
Reißt den verlogenen Nebel vom Baum:
Stolz blüht die Dolde der Erkenntnis.

Sein markisches Gesicht strömt immer
Zwei dämmerblaue Kräfte aus.

Er ist aus Laub und Rinde,
Morgenfrühe und Kentauerblut.

Wie oft schon ließ er sich zur Ader
Seine Werke zu tränken.
Sein neustes Versspiel stiert aus Einauge.

THEODOR DÄUBLER

Zwischen dem Spalt seiner Augen
Fließt dunkeler Golf.

Auf seinen Schultern trägt er den Mond
Durch die Wolken der Nacht.

Die Menschen werden Sterne um ihn
Und beginnen zu lauschen.

Er ist ungetrübt vom Ursprung,
Klar spiegelt sich das blaue Eden.

Er ist Adam und weiß alle Wesen
Zu rufen in der Welt.

Beschwört Geist und Getier
Und sehnt sich nach seinen Söhnen.

Schwer prangen an ihm Granatäpfel
Und spätes Geflüster der Bäume und Sträucher,

Aber auch das Gestöhn gefällter Stämme
Und die wilde Anklage der Wasser.

Es sammeln sich Werwolf und weißer Lawin,
Sonne und süßes Gehänge, viel, viel Wildweinlaune.

Evviva dir, Fürst von Triest!!

FRANZ MARC, der blaue Reiter vom Ried,
Stieg auf sein Kriegspferd.
Ritt über Benediktbeuern herab nach Unterbayern,
Neben ihm sein besonnener, treuer Nubier
Hält ihm die Waffe.
Aber um seinen Hals trägt er mein silbergeprägtes Bild
Und den todverhütenden Stein seines teuren Weibes.
Durch die Straßen von München hebt er sein biblisches Haupt
Im hellen Rahmen des Himmels.
Trost im stillenden Mandelauge,
Donner sein Herz.
Hinter ihm und zur Seite viele, viele Soldaten.

## MEINE SCHÖNE MUTTER
*blickte immer auf Venedig*

### MUTTER

Ein weißer Stern singt ein Totenlied
   In der Julinacht,
Wie Sterbegeläut in der Julinacht.
Und auf dem Dach die Wolkenhand,
Die streifende feuchte Schattenhand
Sucht nach meiner Mutter.

Ich fühle mein nacktes Leben,
Es stößt sich ab vom Mutterland,
So nackt war nie mein Leben,
So in die Zeit gegeben,
Als ob ich abgeblüht
Hinter des Tages Ende
Zwischen weiten Nächten stände,
   Alleine.

### MUTTER

O Mutter, wenn du leben würdest,
Dann möchte ich spielen in deinem Schoß.

Mir ist bang und mein Herz schmerzt
Von der vielen Pein.
Überall sprießt Blutlaub.

Wo soll mein Kind hin?
Ich baute keinen Pfad froh,
Alle Erde ist aufgewühlt.

Liebe, liebe Mutter.

## MEINE MUTTER

War sie der große Engel,
Der neben mir ging?

Oder liegt meine Mutter begraben
Unter dem Himmel von Rauch –
Nie blüht es blau über ihrem Tode.

Wenn meine Augen doch hell schienen
Und ihr Licht brächten.

Wäre mein Lächeln nicht versunken im Antlitz,
Ich würde es über ihr Grab hängen.

Aber ich weiß einen Stern,
Auf dem immer Tag ist;
Den will ich über ihre Erde tragen.

Ich werde jetzt immer ganz allein sein
Wie der große Engel,
Der neben mir ging.


## MEINER SCHWESTER ANNA DIESES LIED

Mein Herz liegt in einem Epheukranz.
Es kann nicht mehr welken,
Es kann nicht mehr blühn,
O, meine Schwester...

Fern verglomm Todesleuchten
In ihren schönen Augen,
Die waren zwei Sternbilder,
In die Kinder blickten.

Gott, wie schwarz die Nacht war!
Keine Sonne vermag mehr
Ein Lächeln zu finden
In meinem Angesicht.

## MEIN KIND

Mein Kind schreit auf um die Mitternacht
Und ist so heiß aus dem Traum erwacht.

Gäb ihm so gern meines Blutes Mai,
Spräng nur mein bebendes Herz entzwei.

Der Tod schleicht im Hyänenfell
Am Himmelsstreif im Mondeshell.

Aber die Erde im Blütenkeusch
Singt Lenz im kreisenden Weltgeräusch.

Und wundersüß küßt der Maienwind
Als duftender Gottesbote mein Kind.

## MEINLINGCHEN

Meinlingchen, sieh mich an –
Dann schmeicheln tausend Lächeln mein Gesicht,
Und tausend Sonnenwinde streicheln meine Seele,
Hast wie ein Wirbelträumlein
Unter ihren Fittichen gelegen.

Nie war so lenzensüß mein Blut,
Als dich mein Odem tränkte,
Die Quellen Edens müssen so geduftet haben;

Bis dich der rote Sturm
Aus süßem Dunkel
Von meinen Herzwegen pflückte
Und dich in meine Arme legte,
In ein Bad von Küssen.


## DIE PAVIANMUTTER
## SINGT IHR PAVIÄNCHEN IN DEN SCHLAF

*(Wiegenliedchen)*

Schlafe, schlafe,
Mein Rosenpöpöchen,
Mein Zuckerläuschen,
Mein Goldflöhchen,

Morgen wird die Kaiserin aus Asien kommen
Mit Zucker, Schokoladen und Bombommen,

Schnell, schnell,
Haase Haase machen,
Sonst kriegt Blaumäulchen nichts von den Sachen.


## EIN TICKTACKLIEDCHEN FÜR PÄULCHEN

Mein Hämmerchen, mein Kämmerchen
    Pamm pamm, pumm pumm
    pamm pamm, pumm pumm

Mein Schläferchen, mein Käferchen
    pumm pumm, pamm pamm,
    pumm pumm, pamm pamm,

Mein Ührchen tick, mein Türchen tack
    tick tack, tick tack
    knackknack, ticktack.

## ANTINOUS

Der kleine Süßkönig
Muß mit goldenen Bällen spielen.

Im bunten Brunnen
Blaugeträufel, honiggold,
Seine Spielehände kühlen.

Antinous,
Wildfang, Güldklang,
Kuchenkorn mahlen alle Mühlen.

Antinous,
Du kleiner Spielkönig,
In den Himmel fährt es schön auf Schaukelstühlen.

O, wie lustige Falter seine Augen sind
Und die Schelme all in seiner Wange,
Und sein Herzchen beißt, will mans befühlen.

## DER ALTE TEMPEL IN PRAG

Tausend Jahre zählt der Tempel schon in Prag;
Staubfällig und ergraut ist längst sein Ruhetag
Und die alten Väter schlossen seine Gitter.

Ihre Söhne ziehen nun in die Schlacht.
Der zerborstene Synagogenstern erwacht,
Und er segnet seine jungen Judenritter.

Wie ein Glücksstern über Böhmens Judenstadt,
Ganz aus Gold, wie nur der Himmel Sterne hat.
Hinter seinem Glanze beten wieder Mütter.

## MEIN STILLES LIED

Mein Herz ist eine traurige Zeit,
Die tonlos tickt.

Meine Mutter hatte goldene Flügel,
Die keine Welt fanden.

Horcht, mich sucht meine Mutter,
Lichte sind ihre Finger und ihre Füße wandernde Träume.

Und süße Wetter mit blauen Wehen
Wärmen meine Schlummer

Immer in den Nächten,
Deren Tage meiner Mutter Krone tragen.

Und ich trinke aus dem Monde stillen Wein,
Wenn die Nacht einsam kommt.

Meine Lieder trugen des Sommers Bläue
Und kehrten düster heim.

– Ihr verhöhntet meine Lippe
Und redet mit ihr. –

Doch ich griff nach euren Händen,
Denn meine Liebe ist ein Kind und wollte spielen.

Und ich artete mich nach euch,
Weil ich mich nach dem Menschen sehnte.

Arm bin ich geworden
An eurer bettelnden Wohltat.

Und das Meer wird es wehklagen
Gott.

Ich bin der Hieroglyph,
Der unter der Schöpfung steht

Und mein Auge
Ist der Gipfel der Zeit;

Sein Leuchten küßt Gottes Saum.


## GEBET

Ich suche allerlanden eine Stadt,
Die einen Engel vor der Pforte hat.
Ich trage seinen großen Flügel
Gebrochen schwer am Schulterblatt
Und in der Stirne seinen Stern als Siegel.

Und wandle immer in die Nacht...
Ich habe Liebe in die Welt gebracht –
Daß blau zu blühen jedes Herz vermag,
Und hab ein Leben müde mich gewacht,
In Gott gehüllt den dunklen Atemschlag.

O Gott, schließ um mich deinen Mantel fest;
Ich weiß, ich bin im Kugelglas der Rest,
Und wenn der letzte Mensch die Welt vergießt,
Du mich nicht wieder aus der Allmacht läßt
Und sich ein neuer Erdball um mich schließt.

# HEBRÄISCHE BALLADEN

## VERSÖHNUNG

Es wird ein großer Stern in meinen Schoß fallen...
Wir wollen wachen die Nacht,

In den Sprachen beten,
Die wie Harfen eingeschnitten sind.

Wir wollen uns versöhnen die Nacht –
So viel Gott strömt über.

Kinder sind unsere Herzen,
Die möchten ruhen müdesüß.

Und unsere Lippen wollen sich küssen,
Was zagst du?

Grenzt nicht mein Herz an deins –
Immer färbt dein Blut meine Wangen rot.

Wir wollen uns versöhnen die Nacht,
Wenn wir uns herzen, sterben wir nicht.

Es wird ein großer Stern in meinen Schoß fallen.


## MEIN VOLK

Der Fels wird morsch,
Dem ich entspringe
Und meine Gotteslieder singe...
Jäh stürz ich vom Weg
Und riesele ganz in mir
Fernab, allein über Klagegestein
Dem Meer zu.

Hab mich so abgeströmt
Von meines Blutes
Mostvergorenheit.
Und immer, immer noch der Widerhall
In mir,
Wenn schauerlich gen Ost
Das morsche Felsgebein,
Mein Volk,
Zu Gott schreit.


## ABEL

Kains Augen sind nicht gottwohlgefällig,
Abels Angesicht ist ein goldener Garten,
Abels Augen sind Nachtigallen.

Immer singt Abel so hell
Zu den Saiten seiner Seele,
Aber durch Kains Leib führen die Gräben der Stadt.

Und er wird seinen Bruder erschlagen –
Abel, Abel, dein Blut färbt den Himmel tief.

Wo ist Kain, da ich ihn stürmen will:
Hast du die Süßvögel erschlagen
In deines Bruders Angesicht?!!


## ABRAHAM UND ISAAK

Abraham baute in der Landschaft Eden
Sich eine Stadt aus Erde und aus Blatt
Und übte sich mit Gott zu reden.

Die Engel ruhten gern vor seiner frommen Hütte
Und Abraham erkannte jeden;
Himmlische Zeichen ließen ihre Flügelschritte.

Bis sie dann einmal bang in ihren Träumen
Meckern hörten die gequälten Böcke,
Mit denen Isaak Opfern spielte hinter Süßholzbäumen.

Und Gott ermahnte: Abraham!!
Er brach vom Kamm des Meeres Muscheln ab und Schwamm
Hoch auf den Blöcken den Altar zu schmücken.

Und trug den einzigen Sohn gebunden auf den Rücken
Zu werden seinem großen Herrn gerecht –
Der aber liebte seinen Knecht.


## HAGAR UND ISMAEL

Mit Muscheln spielten Abrahams kleine Söhne
Und ließen schwimmen die Perlmutterkähne;
Dann lehnte Isaak bang sich an den Ismael

Und traurig sangen die zwei schwarzen Schwäne
Um ihre bunte Welt ganz dunkle Töne,
Und die verstoßne Hagar raubte ihren Sohn sich schnell.

Vergoß in seine kleine ihre große Träne,
Und ihre Herzen rauschten wie der heilige Quell,
Und übereilten noch die Straußenhähne.

Die Sonne aber brannte auf die Wüste grell
Und Hagar und ihr Knäblein sanken in das gelbe Fell
Und bissen in den heißen Sand die weißen Negerzähne.

## JAKOB UND ESAU

Rebekkas Magd ist eine himmlische Fremde,
Aus Rosenblättern trägt die Engelin ein Hemde
Und einen Stern im Angesicht.

Und immer blickt sie auf zum Licht,
Und ihre sanften Hände lesen
Aus goldenen Linsen ein Gericht.

Jakob und Esau blühn an ihrem Wesen
Und streiten um die Süßigkeiten nicht,
Die sie in ihrem Schoß zum Mahle bricht.

Der Bruder läßt dem jüngeren die Jagd
Und all sein Erbe für den Dienst der Magd;
Um seine Schultern schlägt er wild das Dickicht.


## JAKOB

Jakob war der Büffel seiner Herde.
Wenn er stampfte mit den Hufen,
Sprühte unter ihm die Erde.

Brüllend ließ er die gescheckten Brüder.
Rannte in den Urwald an die Flüsse,
Stillte dort das Blut der Affenbisse.

Durch die müden Schmerzen in den Knöcheln
Sank er vor dem Himmel fiebernd nieder,
Und sein Ochsgesicht erschuf das Lächeln.

## JOSEPH WIRD VERKAUFT

Die Winde spielten müde mit den Palmen noch,
So dunkel war es schon um Mittag in der Wüste,
Und Joseph sah den Engel nicht, der ihn vom Himmel grüßte,
Und weinte, da er für des Vaters Liebe büßte,
Und suchte nach dem Cocos seines schattigen Herzens doch.

Der bunte Brüderschwarm zog wieder nach Gottosten,
Und er bereute seine schwere Untat schon,
Und auf den Sandweg fiel der schnöde Silberlohn.
Die fremden Männer aber ketteten des Jakobs Sohn,
Bis ihm die Häute drohten mit dem Eisen zu verrosten.

So oft sprach Jakob inbrünstig zu seinem Herrn,
Sie trugen gleiche Bärte, Schaum, von einer Eselin gemolken.
Und Joseph glaubte jedesmal, – sein – Vater blicke aus den Wolken..
Und eilte über heilige Bergeshöhen, ihm nachzufolgen,
Bis er dann ratlos einschlief unter einem Stern.

Die Käufer lauschten dem entrückten Knaben,
Des Vaters Andacht atmete aus seinem Haare;
Und sie entfesselten die edelblütige Ware.
Und drängten sich, zu tragen Kanaans Prophet in einer Bahre,
Wie die bebürdeten Kamele durch den Sand zu traben.

Ägypten glänzte feierlich in goldenen Mantelfarben,
Da dieses Jahr die Ernte auf den Salbtag fiel.
Die kleine Karawane – endlich – nahte sie dem Ziel.
Sie trugen Joseph in das Haus des Potiphars am Nil.
An seinem Traume hingen aller Deutung Garben.

## PHARAO UND JOSEPH

Pharao verstößt seine blühenden Weiber,
Sie duften nach den Gärten Amons.

Sein Königskopf ruht auf meiner Schulter,
Die strömt Korngeruch aus.

Pharao ist von Gold.
Seine Augen gehen und kommen
Wie schillernde Nilwellen.

Sein Herz aber liegt in meinem Blut;
Zehn Wölfe gingen an meine Tränke.

Immer denkt Pharao
An meine Brüder,
Die mich in die Grube warfen.

Säulen werden im Schlaf seine Arme
Und drohen!

Aber sein träumerisch Herz
Rauscht auf meinem Grund.

Darum dichten meine Lippen
Große Süßigkeiten,
Im Weizen unseres Morgens.


## MOSES UND JOSUA

Als Moses im Alter Gottes war,
Nahm er den wilden Juden Josua
Und salbte ihn zum König seiner Schar.

Da ging ein Sehnen weich durch Israel –
Denn Josuas Herz erquickte wie ein Quell.
Des Bibelvolkes Judenleib war sein Altar.

Die Mägde mochten den gekrönten Bruder gern –
Wie heiliger Dornstrauch brannte süß sein Haar;
Sein Lächeln grüßte den ersehnten Heimatstern,

Den Mosis altes Sterbeauge aufgehn sah,
Als seine müde Löwenseele schrie zum Herrn.


## SAUL

Über Juda liegt der große Melech wach.
Ein steinernes Kameltier trägt sein Dach.
Die Katzen schleichen scheu um rissige Säulen.

Und ohne Leuchte sinkt die Nacht ins Grab,
Sauls volles Auge nahm zur Scheibe ab.
Die Klageweiber treiben hoch und heulen.

Vor seinen Toren aber stehen die Cananiter.
– Er zwingt den Tod, den ersten Eindring nieder –
Und schwingt mit fünfmalhunderttausend Mann die Keulen.


## DAVID UND JONATHAN

In der Bibel stehn wir geschrieben
Buntumschlungen.

Aber unsere Knabenspiele
Leben weiter im Stern.

Ich bin David,
Du mein Spielgefährte.

O, wir färbten
Unsere weißen Widderherzen rot!

Wie die Knospen an den Liebespsalmen
Unter Feiertagshimmel.

Deine Abschiedsaugen aber –
Immer nimmst du still im Kusse Abschied.

Und was soll dein Herz
Noch ohne meines –

Deine Süßnacht
Ohne meine Lieder.


## DAVID UND JONATHAN

O Jonathan, ich blasse hin in deinem Schoß,
Mein Herz fällt feierlich in dunklen Falten;
In meiner Schläfe pflege du den Mond,
Des Sternes Gold sollst du erhalten.
Du bist mein Himmel mein, du Liebgenoß.

Ich hab so säumerisch die kühle Welt
Fern immer nur im Bach geschaut...
Doch nun, da sie aus meinem Auge fällt,
Von deiner Liebe aufgetaut...
O Jonathan, nimm du die königliche Träne,
Sie schimmert weich und reich wie eine Braut.

O Jonathan, du Blut der süßen Feige,
Duftendes Gehang an meinem Zweige,
Du Ring in meiner Lippe Haut.

## ABIGAIL

Im Kleid der Hirtin schritt sie aus des Melechs Haus
Zu ihren jungen Dromedarenherden.
Im edlen Wettlauf mit den wilden Pferden
Trieb sie die Silberziegen vor die Stadt hinaus,
Bis sich die Abendamethysten reihten um die Erden,
Sich nach der Tochter bangte König Saul.

Sie setzte das verirrte Tier nicht aus
Der Wüste hungernder Schakale,
Und trug am Arme blutiger Bisse Male;
Entriß das Böcklein noch der Löwin Maul.
– Der blinde Seher sah es jedesmal voraus...
Die Gräser zitterten im Judatale.

Im Schoß des Vaters schlief die kleine Abigail,
Wenn über Juda lauschte Israels Gebieter,
Hinüber zu dem feindlichen Hethiter.
– Der Skarabäus seiner Krone wurde faul. –
Treu aber hütete der Mond des Melechs Güter,
Und seine Krieger übten sich im Pfeil.

Bis der Allmächtige blies den goldenen Hirten aus.
»Den Vater Abraham«... erklärte ernst der Melech seinem Kinde:
»Der blieb in seinem ewigen Scheine ohne Sünde.«
Und auch sein spätes Sternlein glitzerte ganz hell und weiß;
Man konnte es noch funkeln sehen im Winde:
»Einst trug sein Vater es, ein Osterlämmlein, hin auf seines
            Herrn Geheiß.«

Als auf den Feldern blühte jung der Reis,
Schloß Saul die mächtigen Judenaugen beide,
Und seiner Abigail begegnete ein Engel auf der Weide,
Der kündete: »Jehovah blies die Seele deines Vaters aus«...

## ESTHER

Esther ist schlank wie die Feldpalme,
Nach ihren Lippen duften die Weizenhalme
Und die Feiertage, die in Juda fallen.

Nachts ruht ihr Herz auf einem Psalme,
Die Götzen lauschen in den Hallen.

Der König lächelt ihrem Nahen entgegen –
Denn überall blickt Gott auf Esther.

Die jungen Juden dichten Lieder an die Schwester,
Die sie in Säulen ihres Vorraums prägen.


## BOAS

Ruth sucht überall
Nach goldenen Kornblumen
An den Hütten der Brothüter vorbei –

Bringt süßen Sturm
Und glitzernde Spielerei
Über Boas Herz;

Das wogt ganz hoch
In seinen Korngärten
Der fremden Schnitterin zu.

RUTH

Und du suchst mich vor den Hecken.
Ich höre deine Schritte seufzen
Und meine Augen sind schwere dunkle Tropfen.

In meiner Seele blühen süß deine Blicke
Und füllen sich,
Wenn meine Augen in den Schlaf wandeln.

Am Brunnen meiner Heimat
Steht ein Engel,
Der singt das Lied meiner Liebe,
Der singt das Lied Ruths.


ZEBAOTH

Gott, ich liebe dich in deinem Rosenkleide,
Wenn du aus den Gärten trittst, Zebaoth.
O, du Gottjüngling,
Du Dichter,
Ich trinke einsam von deinen Düften.

Meine erste Blüte Blut sehnte sich nach dir,
So komme doch,
Du süßer Gott,
Du Gespiele Gott,
Deines Tores Gold schmilzt an meiner Sehnsucht.

SULAMITH

O, ich lernte an deinem süßen Munde
Zuviel der Seligkeiten kennen!
Schon fühl ich die Lippen Gabriels
Auf meinem Herzen brennen....
Und die Nachtwolke trinkt
Meinen tiefen Zederntraum.
O, wie dein Leben mir winkt!
Und ich vergehe
Mit blühendem Herzeleid
Und verwehe im Weltraum,
In Zeit,
In Ewigkeit,
Und meine Seele verglüht in den Abendfarben
Jerusalems.


AN GOTT

Du wehrst den guten und den bösen Sternen nicht;
All ihre Launen strömen.
In meiner Stirne schmerzt die Furche,
Die tiefe Krone mit dem düsteren Licht.

Und meine Welt ist still –
Du wehrtest meiner Laune nicht.
Gott, wo bist du?

Ich möchte nah an deinem Herzen lauschen,
Mit deiner fernsten Nähe mich vertauschen,
Wenn goldverklärt in deinem Reich
Aus tausendseligem Licht
Alle die guten und die bösen Brunnen rauschen.

# KONZERT

## EIN LIED AN GOTT

Es schneien weiße Rosen auf die Erde,
Warmer Schnee schmückt milde unsere Welt;
Die weiß es, ob ich wieder lieben werde,
Wenn Frühling sonnenseiden niederfällt.

Zwischen Winternächten liegen meine Träume
Aufbewahrt im Mond, der mich betreut –
Und mir gut ist, wenn ich hier versäume
Dieses Leben, das mich nur verstreut.

Ich suchte Gott auf innerlichsten Wegen
Und kräuselte die Lippe nie zum Spott.
In meinem Herzen fällt ein Tränenregen;
Wie soll ich dich erkennen lieber Gott...

Da ich dein Kind bin, schäme ich mich nicht,
Dir ganz mein Herz vertrauend zu entfalten.
Schenk mir ein Lichtchen von dem ewigen Licht! – – –
Zwei Hände, die mich lieben, sollen es mir halten.

So dunkel ist es fern von deinem Reich
O Gott, wie kann ich weiter hier bestehen.
Ich weiß, du formtest Menschen, hart und weich,
Und weintetest gotteigen, wolltest du wie Menschen sehen.

Mein Angesicht barg ich so oft in deinem Schoß –
Ganz unverhüllt: du möchtest es erkennen.
Ich und die Erde wurden wie zwei Spielgefährten groß!
Und dürfen »du« dich beide, Gott der Welten, nennen.

So trübe aber scheint mir gerade heut die Zeit
Von meines Herzens Warte aus gesehen;
Es trägt die Spuren einer Meereseinsamkeit
Und aller Stürme sterbendes Verwehen.

## LETZTER ABEND IM JAHR

Es ist so dunkel heut,
Man kann kaum in den Abend sehen.
Ein Lichtchen loht,
Verspieltes Himmelchen spielt Abendrot
Und weigert sich, in seine Seligkeit zu gehen.
– So alt wird jedes Jahr die Zeit –
Und die vorangegangene verwandelte der Tod.

Mein Herz blieb ganz für sich
Und fand auf Erden keinen Trost.
Und bin ich auch des Mondes Ebenich,
Geleitetest auch du im vorigen Leben mich,
Und sah ich auch den blausten Himmel in Gottost.

Es ruhen Rand an Rand einträchtig Land und Seeen,
– Das Weltall spaltet sich doch nicht –,
O Gott, wie kann der Mensch verstehen,
Warum der Mensch haltlos vom Menschtum bricht,
Sich wieder sammeln muß im höheren Geschehen.

## ABSCHIED

Der Regen säuberte die steile Häuserwand,
Ich schreibe auf den weißen, steinernen Bogen
Und fühle sanft erstarken meine müde Hand
Von Liebesversen, die mich immer süß betrogen.

Ich wache in der Nacht stürmisch auf hohen Meereswogen!
Vielleicht entglitt ich meines Engels liebevoller Hand,
Ich hab' die Welt, die Welt hat mich betrogen;
Ich grub den Leichnam zu den Muscheln in den Sand.

Wir blicken all' zu *einem* Himmel auf, mißgönnen uns das Land? –
Warum hat Gott im Osten wetterleuchtend sich verzogen,
Vom Ebenbilde Seines Menschen übermannt?

Ich wache in der Nacht stürmisch auf hohen Meereswogen!
Und was mich je mit Seiner Schöpfung Ruhetag verband,
Ist wie ein spätes Adlerheer unstät in diese Dunkelheit geflogen.


Es BRENNT ein feierlicher Stern…
Ein Engel hat ihn für mich angezündet.
Ich sah nie unsere heilige Stadt im Herrn,
Sie rief mich oft im Traum des Windes.

Ich bin gestorben, meine Augen schimmern fern,
Mein Leib zerfällt und meine Seele mündet
In die Träne meines nun verwaisten Kindes,
Wieder neu gesäet in seinem weichen Kern.


DAS WUNDERLIED

Schwärmend trat ich aus glitzerndem Herzen
Wogender Liebesfäden,

Ganz schüchtern, hervor; Nacht im Auge,
Geöffnete Lippen…

Aber wo auch ein See lockte,
Goldene Tränke,

Starb an der Labe mein pochendes Wild
In der Brust.

Was soll mir der Wein deines Tisches,
Reichst du mir des Herzens Mannah nicht.

Süß mir, wenn ich im Rauschen der Liebe
Für dich gestorben wär –

Nun ist mein Leben verschneit,
Erstarrt meine Seele,

Die lächelte sonntäglich dir
Friede ins Herz.

Ich suche das Glück nicht mehr.
Wo ich auch unter hochzeitlichem Morgen saß,

Erfror der träumende Lotos
Auf meinem Blut.


## GEDENKTAG

Das Meer steigt rauschend übers Land,
Inbrünstig fallen Wasser aus den Höhen.
Still brennt die Kerze noch in meiner Hand.

Ich möchte meine liebe Mutter wiedersehen...
Begraben hab' ich meinen Leib im kühlen Sand,
Doch meine Seele will von dieser Welt nicht gehen.

Und hat sich von mir abgewandt.
Ich wollte immer ihr ein Kleid aus Muscheln nähen;
In meinen rauhen Körper wurde sie verbannt.

Doch meine liebe Mutter gab sie mir zum Pfand.
Ich suche meine Seele überall auf Zehen;
Die nistete an meiner roten Felsenwand,
Und noch in meinem Auge irrt ihr Spähen.

ABENDLIED

Auf die jungen Rosensträucher
Fällt vom Himmel weicher Regen,
Und die Welt wird immer reicher.

O mein Gott mein, nur alleine,
Ich verdurste und verweine
In dem Segen.

Engel singen aus den Höhen:
»Heut ist Gottes Namenstag,
Der allweiß hier vom Geschehen...«

Und ich kann es nicht verstehen,
Da ich unter seinem Dach
Oft so traurig erwach.


WEIHNACHTEN

Einmal kommst du zu mir in der Abendstunde
Aus meinem Lieblingssterne weich entrückt
Das ersehnte Liebeswort im Munde
Alle Zweige warten schon geschmückt.

O ich weiß, ich leuchte wieder dann,
Denn du zündest meine weißen Lichte an.

»Wann?« – ich frage seit ich dir begegnet – »wann?«
Einen Engel schnitt ich mir aus deinem goldenen Haare
Und den Traum, der mir so früh zerrann.
O ich liebe dich, ich liebe dich,
Ich liebe dich!

Hörst du, ich liebe dich – – –
Und unsere Liebe wandelt schon Kometenjahre,
Bevor du mich erkanntest und ich dich.

## EWIGE NÄCHTE

Ich sitze so alleine in der Nacht
An meinem Tisch, der trägt noch seine Lebensfarbe.
Auf jede seiner Adern geb ich acht,
– Mich dünkt, er blutet noch aus einer Narbe.

Vielleicht stieß mal ein Messer in den Stamm
Ein Mann im Walde, – seine Lust zu kühlen.
Und reckte weit am Teiche in den Schlamm
Die Glieder, die entlasteten zu fühlen.

Er warf mit seinem Tropfen letzter Lust
Die Menschheit von sich ab in einer einzigen Wehe.
Ich wälze auch, wie er, mein »Ich« bewußt!
Ein Volk von mir, bevor ich aus dem Leben gehe.

Dich suchte unaufhörlich ich auf meinem Pfad,
Nie aber kam mein Ebenmensch mir je entgegen.
Und doch wurd' alles, was ich sann, zur Tat,
Und hat das Wort auch tausend Jahr in mir gelegen.

Und flöße Furcht ein, ob des Segens Segen,
Um Dunkelheit vor meines Tisches stillem Tal:
Ein wilder Jude mit dem Kopf des Baal.
Verwittert – ewige Nächte... Draußen fällt ein Regen.


## GENESIS

Aus Algenmoos und Muscheln schleichen feuchte Düfte...
Frohlockend schmiegt die Erde ihren Arm um meine Hüfte.
– Mein Geist hat nach dem Heiligen Geist gesucht –.

Und tauchte auf den Vogelgrund der Lüfte
Und grub nach Gott in jedem Stein der Klüfte
Und blieb doch Fleisch, leibeigen und verflucht.

Ich keimte schon am Zweig der Liebesgifte,
Als noch der Schöpfer durch die Meere schiffte,
Das Wasser trennte von der Bucht.

Und alles gut fand, da Er Seine Erde prüfte,
Und nicht ein Korn sprießt ungebucht.

Doch Seine beiden Menschen trieb Er in die Flucht!
Noch schlief der Weltenplan in Seinem Schöpferstifte.
Sie fügten sich nicht Seiner väterlichen Zucht.

Unbändig wie das Feuer zwischen Stein und Stein
Noch ungeläutert zu entladen sich versucht,
So trotzten sie!!
Wie meines Herzens ungezähmte Wucht.

NEUGIERIGE sammeln sich am Strand und messen
Sich am Meer und mir der Dichterin vermessen.
Doch ihre Redensart löscht aus der Sand.
Ich hab die Welt vor Welt vergessen,
Getränkt von edlen Meeresnässen.
Als läge ich in Gottes weiter Hand.

## AUS DER FERNE

Die Welt, aus der ich lange mich entwand,
Ruht kahl, von Glut entlaubt, in dunkler Hand;
Die Heimat fremd, die ich mit Liebe überhäufte,
Aus der ich lebend in die Himmel reifte.

Es wachsen auch die Seelen der verpflanzten Bäume
Auf Erden schon in Gottes blaue Räume,
Um inniger von Seiner Herrlichkeit zu träumen.

Der große Mond und seine Lieblingssterne,
Spielen mit den bunten Muschelschäumen
Und hüten über Meere Gottes Geist so gerne.

So fern hab ich mir nie die Ewigkeit gedacht...
Es weinen über unsere Welt die Engel in der Nacht.
Sie läuterten mein Herz, die Fluren zu versüßen,
Und ließen euch in meinen Versen grüßen.

# MEIN BLAUES KLAVIER

AN MEINE FREUNDE

Nicht die tote Ruhe –
Bin nach einer stillen Nacht schon ausgeruht.
Oh, ich atme Geschlafenes aus,
Den Mond noch wiegend
Zwischen meinen Lippen.

Nicht den Todesschlaf –
Schon im Gespräch mit euch
Himmlisch Konzert.....
Und neu Leben anstimmt
In meinem Herzen.

Nicht der Überlebenden schwarzer Schritt!
Zertretene Schlummer zersplittern den Morgen.
Hinter Wolken verschleierte Sterne
Über Mittag versteckt –
So immer wieder neu uns finden.

In meinem Elternhause nun
Wohnt der Engel Gabriel.....
Ich möchte innig dort mit euch
Selige Ruhe in einem Fest feiern –
Sich die Liebe mischt mit unserem Wort.

Aus mannigfaltigem Abschied
Steigen aneinandergeschmiegt die goldenen Staubfäden,
Und nicht ein Tag ungesüßt bleibt
Zwischen wehmütigem Kuß
Und Wiedersehn!

Nicht die tote Ruhe –
So ich liebe im Odem sein.....!
Auf Erden mit euch im Himmel schon.
Allfarbig malen auf blauem Grund
Das ewige Leben.

## MEINE MUTTER

Es brennt die Kerze auf meinem Tisch
Für meine Mutter die ganze Nacht –
Für meine Mutter.....

Mein Herz brennt unter dem Schulterblatt
Die ganze Nacht
Für meine Mutter.....


## JERUSALEM

*Gott baute aus Seinem Rückgrat: Palästina*
*aus einem einzigen Knochen: Jerusalem.*

Ich wandele wie durch Mausoleen –
Versteint ist unsere Heilige Stadt.
Es ruhen Steine in den Betten ihrer toten Seen
Statt Wasserseiden, die da spielten: Kommen und Vergehen.

Es starren Gründe hart den Wanderer an –
Und er versinkt in ihre starren Nächte.
Ich habe Angst, die ich nicht überwältigen kann.

Wenn du doch kämest.....
Im lichten Alpenmantel eingehüllt –
Und meines Tages Dämmerstunde nähmest –
Mein Arm umrahmte dich, ein hilfreich Heiligenbild.

Wie einst wenn ich im Dunkel meines Herzens litt –
Da deine Augen beide: blaue Wolken.
Sie nahmen mich aus meinem Trübsinn mit.

Wenn du doch kämest –
In das Land der Ahnen –

Du würdest wie ein Kindlein mich ermahnen:
Jerusalem – erfahre Auferstehen!

Es grüßen uns
Des »Einzigen Gottes« lebendige Fahnen,
Grünende Hände, die des Lebens Odem säen.


AN MEIN KIND

Immer wieder wirst du mir
Im scheidenden Jahre sterben, mein Kind,

Wenn das Laub zerfließt
Und die Zweige schmal werden.

Mit den roten Rosen
Hast du den Tod bitter gekostet,

Nicht ein einziges welkendes Pochen
Blieb dir erspart.

Darum weine ich sehr, ewiglich.....
In der Nacht meines Herzens.

Noch seufzen aus mir die Schlummerlieder,
Die dich in den Todesschlaf schluchzten,

Und meine Augen wenden sich nicht mehr
Der Welt zu;

Das Grün des Laubes tut ihnen weh.
– Aber der Ewige wohnt in mir.

Die Liebe zu dir ist das Bildnis,
Das man sich von Gott machen darf.

Ich sah auch die Engel im Weinen,
Im Wind und im Schneeregen.

Sie schwebten........
In einer himmlischen Luft.

Wenn der Mond in Blüte steht
Gleicht er deinem Leben, mein Kind.

Und ich mag nicht hinsehen
Wie der lichtspendende Falter sorglos dahinschwebt.

Nie ahnte ich den Tod
– Spüren um dich, mein Kind –

Und ich liebe des Zimmers Wände,
Die ich bemale mit deinem Knabenantlitz.

Die Sterne, die in diesem Monat
So viele sprühend ins Leben fallen,
Tropfen schwer auf mein Herz.


## MEIN BLAUES KLAVIER

Ich habe zu Hause ein blaues Klavier
Und kenne doch keine Note.

Es steht im Dunkel der Kellertür,
Seitdem die Welt verrohte.

Es spielen Sternenhände vier
– Die Mondfrau sang im Boote –
Nun tanzen die Ratten im Geklirr.

Zerbrochen ist die Klaviatür.....
Ich beweine die blaue Tote.

Ach liebe Engel öffnet mir
– Ich aß vom bitteren Brote –
Mir lebend schon die Himmelstür –
Auch wider dem Verbote.


## GEBET


Oh Gott, ich bin voll Traurigkeit.....
Nimm mein Herz in deine Hände –
Bis der Abend geht zu Ende
In steter Wiederkehr der Zeit.

Oh Gott, ich bin so müd, oh, Gott,
Der Wolkenmann und seine Frau
Sie spielen mit mir himmelblau
Im Sommer immer, lieber Gott.

Und glaube unserm Monde, Gott,
Denn er umhüllte mich mit Schein,
Als wär ich hilflos noch und klein,
– Ein Flämmchen Seele.

Oh, Gott und ist sie auch voll Fehle –
Nimm sie still in deine Hände.....
Damit sie leuchtend in dir ende.


## ÜBER GLITZERNDEN KIES


Könnt ich nach Haus –
Die Lichte gehen aus –
Erlischt ihr letzter Gruß.

Wo soll ich hin?
Oh Mutter mein, weißt du's?
Auch unser Garten ist gestorben!.....

Es liegt ein grauer Nelkenstrauß
Im Winkel wo im Elternhaus.
Er hatte große Sorgfalt sich erworben.

Umkränzte das Willkommen an den Toren
Und gab sich ganz in seiner Farbe aus.
Oh liebe Mutter!.....

Versprühte Abendrot
Am Morgen weiche Sehnsucht aus
Bevor die Welt in Schmach und Not.

Ich habe keine Schwestern mehr und keine Brüder.
Der Winter spielte mit dem Tode in den Nestern
Und Reif erstarrte alle Liebeslieder.


OUVERTÜRE

Wir trennten uns im Vorspiele der Liebe.....
An meinem Herzen glitzerte noch hell dein Wort,
Und still verklangen wir im Stadtgetriebe,
Im Abendschleier der Septembertrübe
In einem schluchzenden Akkord.
Doch in der kurzen Liebesouvertüre
Entschwanden wir von dieser Erde fort
Durch Paradiese bis zur Himmelstüre –
Und es bedurfte nicht der ewigen Liebesschwüre
Und nicht der Küsse blauer Zaubermord.
Und meiden doch seitdem uns wie zwei Diebe!
Und nur geheim betreten wir den Ort,
Wo uns vergoldete die Liebe.
Bewahren wir sie, daß sie nicht erfriere
Oder im Alltag blinder Lust verdorrt.
Ich weinte bitterlich wenn ich es einst erführe –

## AN MILL

Es tanzen Schatten in den dunkelgrünen Bäumen,
Die du so liebst, elf deiner guten Feen,
Die treu dein Haus und dich, du Rauschender, betreuen.

Wir leben lange schon im höheren Geschehen – –
Schneeweißer Damast liegt auf allen Seen
Aus Zauberseide wie in meinen Reimen.
Von einem jähen Hauche – kann der Vers verwehen.

Es gilt den Augenblick der Liebe zu vernehmen,
Da Heimat gegenseitig wir im Auge sehen.
Am Hange unserer Liebe süßes Schemen,
Erblüht die Königin der Nacht aus den Kakteen.

Schwer in den Wolkenbergen, die weich träumen,
Taumelt von Sternenrebenperlenüberschäumen
Der trunkne goldne Winzer und beleuchtet die Alleen.


## ES KOMMT DER ABEND

Es kommt der Abend und ich tauche in die Sterne,
Daß ich den Weg zur Heimat im Gemüte nicht verlerne
Umflorte sich auch längst mein armes Land.

Es ruhen unsere Herzen liebverwandt,
Gepaart in einer Schale:
Weiße Mandelkerne –

.....Ich weiß, du hältst wie früher meine Hand
Verwunschen in der Ewigkeit der Ferne.....
Ach meine Seele rauschte, als dein Mund es mir gestand.

## DIE TÄNZERIN WALLY

Sie wandelt an den Nachmittagen
Durch ihrer Gartengänge grüne Heiligensagen
Von frommer Dämmerung ins Himmelreich getragen.

Die Bibelfrauen: ihre Feen.....
Sie hört wie sie vom Leiden der Propheten klagen,
Die schon im Weltenanfang sahn die Welt verwehen.

Sie aber lernte auf den Spitzen ihrer Füße stehen
Von den Zypressen, die das Weltenende überragen.
Zu einem sanften Tanze hebt sich leicht ihr Gehen.

Zwei weiße Schäferhunde folgen ihrem Wagen,
Erzählen ihre Gliederweisen uns vom höheren Geschehen.


## ABENDZEIT

Erblaßt ist meine Lebenslust –.....
Ich fiel so einsam auf die Erde,
Von wo ich kam hat nie ein Mensch gewußt,
– Nur du, da ich vereint einst mit dir werde.

Ich bin von Meeresbuchten weit umstellt,
Jedwedes Ding erlebe ich im Schaume.
Der Mensch, der feindlich mich ereilt, zerschellt!
Und ich weiß nur von ihm im Traume.

Und so erlebe ich die Schöpfung dieser Welt,
Auf Erden schon entkommen ihrer Schale.
Und du der Stern, der hoch vom Himmel fällt,
Vergräbt sich tief in meines Herzens Tale.

Die Abendzeit verdüstert sehr mein Blut –
Durchädert qualvoll meine müde Seele.
Nackt steigt sie wieder aus der vorweltlichen Flut
Und bangt, daß sie verkörpert hier auf Erden fehle.

Und was der Tag, noch ehe er erwacht,
Versäumte morgenrötlich zu erleben,
Reicht ihm das träumerische Bilderspiel der Nacht
In lauter bunterlei Geweben.

Es bringen ferne Hände mir nach Haus
Aus gelben Sicheln einen frommen Strauß.
Der Zeiger wandelt leise um das Zifferblatt
Der Sonnenuhr, die Gold von meinem Leben hat.

Sie glüht vom Pochen überwacht
Und läutet zwischen Nacht und Mitternacht.....
Da wir uns sahen in der rätselhaften Stunde –
Dein Mund blüht tausendschön auf meinem Munde.

All meine Lebenslust entfloh
Im dunkelen Gewande mit der Abendzeit.
Ich suchte unaufhörlich einen Himmel wo.....
Nur in der Offenbarung ist der Weg zu ihm nicht weit.


## ICH LIEGE WO AM WEGRAND

Ich liege wo am Wegrand übermattet –
Und über mir die finstere kalte Nacht –
Und zähl schon zu den Toten längst bestattet.

Wo soll ich auch noch hin – von Grauen überschattet –
Die ich vom Monde euch mit Liedern still bedacht
Und weite Himmel blauvertausendfacht.

Die heilige Liebe, die ihr blind zertratet,
Ist Gottes Ebenbild....!
Fahrlässig umgebracht.

Darum auch lebten du und ich in einem Schacht!
Und – doch im Paradiese trunken blumumblattet.

## DIE VERSCHEUCHTE

Es ist der Tag im Nebel völlig eingehüllt,
Entseelt begegnen alle Welten sich –
Kaum hingezeichnet wie auf einem Schattenbild.

Wie lange war kein Herz zu meinem mild...
Die Welt erkaltete, der Mensch verblich.
– Komm bete mit mir – denn Gott tröstet mich.

Wo weilt der Odem, der aus meinem Leben wich?
Ich streife heimatlos zusammen mit dem Wild
Durch bleiche Zeiten träumend – ja ich liebte dich.....

Wo soll ich hin, wenn kalt der Nordsturm brüllt?
Die scheuen Tiere aus der Landschaft wagen sich
Und ich vor deine Tür, ein Bündel Wegerich.

Bald haben Tränen alle Himmel weggespült,
An deren Kelchen Dichter ihren Durst gestillt –
Auch du und ich.


## ERGRAUT KOMMT SEINE KLEINE WELT ZURÜCK

In meinem Herzen spielen Paradiese.....
Ich aber kehre aus versunkenem Glück
In eine Welt trostlosester Entblätterung zurück.

Ein Grübchen lächelt ahnungslos aus einer Wiese,
Ein Bach, doch auf dem Grunde dürstet sein Geschick.

Ich leide sehr um sein verflüchtend Glück –
Darum ich mich des Tauchens heller Lust verschließe.

Aus meinem Herzen fallen letzte Grüße
Vom Lebensfaden ab – dir schenk ich diese.

Die Sonne heftet im Kristall der Kiese
Noch scheidend ihren goldenen Augenblick.

Gott weint . . . . . ergraut kommt seine kleine Welt zurück,
Die Er in Seiner Schöpfung schnitt aus himmlischem Türkise.

Es lehren Flügelmenschen, die des Wegs ein Stück
Mich, meines Amtes wegen, stärken und begießen –
Und wieder jenseits in die Lüfte fließen:
Daß ich für – unerfüllte Gottesweisung – büße.


HINGABE

Ich sehe mir die Bilderreihen der Wolken an,
Bis sie zerfließen und enthüllen ihre blaue Bahn.

Ich schwebte einsamlich die Welten all hinan,
Entzifferte die Sternoglyphen und die Mondeszeichen um den Mann.

Und fragte selbst mich scheu, ob oder wann
Ich einst geboren wurde und gestorben dann?

Mit einem Kleid aus Zweifel war ich angetan,
Das greises Leid geweiht für mich am Zeitrad spann.

Und jedes Bild, das ich von dieser Welt gewann,
Verlor ich doppelt, und auch das was ich ersann.


ICH WEISS

Ich weiß, daß ich bald sterben muß
Es leuchten doch alle Bäume
Nach langersehntem Julikuß –

Fahl werden meine Träume –
Nie dichtete ich einen trüberen Schluß
In den Büchern meiner Reime.

Eine Blume brichst du mir zum Gruß –
Ich liebte sie schon im Keime.
Doch ich weiß, daß ich bald sterben muß.

Mein Odem schwebt über Gottes Fluß –
Ich setze leise meinen Fuß
Auf den Pfad zum ewigen Heime.


## HERBST

Ich pflücke mir am Weg das letzte Tausendschön.....
Es kam ein Engel mir mein Totenkleid zu nähen –
Denn ich muß andere Welten weiter tragen.

Das ewige Leben *dem*, der viel von Liebe weiß zu sagen.
Ein Mensch der *Liebe* kann nur auferstehen!
Haß schachtelt ein! wie hoch die Fackel auch mag schlagen.

Ich will dir viel viel Liebe sagen –
Wenn auch schon kühle Winde wehen,
In Wirbeln sich um Bäume drehen,
Um Herzen, die in ihren Wiegen lagen.

Mir ist auf Erden weh geschehen.....
Der Mond gibt Antwort dir auf deine Fragen.
Er sah verhängt mich auch an Tagen,
Die zaghaft ich beging auf Zehen.

## DIE DÄMMERUNG NAHT

Die Dämmerung naht – im Sterben liegt der Tag.....
Sein Schatten deckt mich zu, der kühl auf einem Blatte lag,
Auf seinen roten Beeren.

Ich baute uns ein Himmelreich, dir unantastbar zu gehören
– Das an den Riffen deiner Herzensnacht zerbrach.

Die Vögel singen, und vom Nachtigallenschlag
Erzittert noch mein Bild am Wald im Bach.
Dir will ich es verehren –

Die Dämmerung naht, im Sterben liegt der Tag.


## MEIN HERZ RUHT MÜDE

Mein Herz ruht müde
Auf dem Samt der Nacht
Und Sterne legen sich auf meine Augenlide.....

Ich fließe Silbertöne der Etüde – – –
Und bin nicht mehr und doch vertausendfacht.
Und breite über unsere Erde: Friede.

Ich habe meines Lebens Schlußakkord vollbracht –
Bin still verschieden – wie es Gott in mir erdacht:
Ein Psalm erlösender – damit die Welt ihn übe.

AN IHN


ABENDS

Auf einmal mußte ich singen –
Und ich wußte nicht warum?
– Doch abends weinte ich bitterlich.

Es stieg aus allen Dingen
Ein Schmerz, und der ging um
– Und legte sich auf mich.


DEM VERKLÄRTEN

Ach bitter und karg war mein Brot,
Verblichen –
Das Gold meiner Wangen Bernstein.

In die Höhlen schleiche ich
Mit den Pantern
In der Nacht.

So bange mir in der Dämmerung Weh...
Legen sich auch schlafen
Die Sterne auf meine Hand.

Du staunst über ihr Leuchten –
Doch fremd dir die Not
Meiner Einsamkeit.

Es erbarmen sich auf den Gassen
Die wilden Tiere meiner.
Ihr Heulen endet in Liebesklängen.

Du aber wandelst entkommen dem Irdischen
Um den Sinai lächelnd verklärt –
Fremdfern vorüber meiner Welt.

UND

Und hast mein Herz verschmäht –
In die Himmel wärs geschwebt
Selig aus dem engen Zimmer!

Wenn der Mond spazieren geht,
Hör ichs pochen immer
Oft bis spät.

Aus Silberfäden zart gedreht
Mein weiß Gerät –
Trüb nun sein Schimmer.


SO LANGE IST ES HER.....

Ich träume so fern dieser Erde
Als ob ich gestorben wär
Und nicht mehr verkörpert werde.

Im Marmor deiner Gebärde
Erinnert mein Leben sich näher
Doch ich weiß die Wege nicht mehr.

Nun hüllt die glitzernde Sphäre
Im Demantkleide mich schwer.
Ich aber greife ins Leere.


EIN LIEBESLIED

Komm zu mir in der Nacht – wir schlafen engverschlungen.
Müde bin ich sehr, vom Wachen einsam.
Ein fremder Vogel hat in dunkler Frühe schon gesungen,
Als noch mein Traum mit sich und mir gerungen.

Es öffnen Blumen sich vor allen Quellen
Und färben sich mit deiner Augen Immortellen.....

Komm zu mir in der Nacht auf Siebensternenschuhen
Und Liebe eingehüllt spät in mein Zelt.
Es steigen Monde aus verstaubten Himmelstruhen.

Wir wollen wie zwei seltene Tiere liebesruhen
Im hohen Rohre hinter dieser Welt.


## IHM EINE HYMNE

Ich lausche seiner Lehre,
Als ob ich vom Jenseits höre
Sprechen die Abendröte.

Es kommen Dichter mit Gaben
Zu ihm aus ihren Sternen
Vom »Alleinigen Gott« zu lernen.

Aus ihren Marmorbrüchen
Schenkten ihm die Griechen
Das Lächeln des Apolls.

Die Körper, die ihrer Seele
Die Pforte geöffnet haben,
Werden Engel aus Rosenholz.

Ich erinnere mich meiner näher
In seinem heiligen Schwang.
Hört mich der holde Seher –
..... Schluchzen in seinem Gesang

Im Ewigen Jerusalem-Eden,
Tröstet sein Wort Jedweden
Fern überhebendem Stolz.

Im Tempelschall seiner Gebete,
Zwischen leuchtendem Kerzengeräte,
Schlürft meine Seele seinen Gesang.

.....Doch oben im Dämmermoose
Welkt ergeben die Himmelsrose
– Da er ihr Herz verschmähte.


ICH LIEBE DICH.....

Ich liebe dich
Und finde dich
Wenn auch der Tag ganz dunkel wird.

Mein Lebelang
Und immer noch
Bin suchend ich umhergeirrt.

Ich liebe dich!
Ich liebe dich!
Ich liebe dich!

Es öffnen deine Lippen sich.....
Die Welt ist taub,
Die Welt ist blind

Und auch die Wolke
Und das Laub –
– Nur wir, der goldene Staub
Aus dem wir zwei bereitet:
– Sind!

## IN MEINEM SCHOSSE

In meinem Schoße
Schlafen die dunkelen Wolken –
Darum bin ich so traurig, du Holdester.

Ich muß deinen Namen rufen
Mit der Stimme des Paradiesvogels
Wenn sich meine Lippen bunt färben.

Es schlafen schon alle Bäume im Garten –
Auch der nimmermüde
Vor meinem Fenster –

Es rauscht der Flügel des Geiers
Und trägt mich durch die Lüfte
Bis über dein Haus.

Meine Arme legen sich um deine Hüften,
Mich zu spiegeln
In deines Leibes Verklärtheit.

Lösche mein Herz nicht aus –
Du den Weg findest –
Immerdar.


## DEM HOLDEN

Ich taumele über deines Leibes goldene Wiese,
Es glitzern auf dem Liebespfade hin die Demantkiese
Und auch zu meinem Schoße
Führen bunterlei Türkise.

Ich suchte ewig dich – es bluten meine Füße –
Ich löschte meinen Durst mit deines Lächelns Süße.
Und fürchte doch, daß sich das Tor
Des Traumes schließe.

Ich sende dir, eh ich ein Tropfen frühes Licht genieße,
In blauer Wolke eingehüllte Grüße
Und von der Lippe abgepflückte eben erst erblühte Küsse.
Bevor ich schwärmend in den Morgen fließe.


## DIE UNVOLLENDETE

Es ist so dunkel heut am Heiligen Himmel.....
Ich und die Abendwolken suchen nach dem Mond –
Wo beide wir einst vor dem Erdenleben,
Schon nahe seiner Leuchtewelt gewohnt.

Darum möcht ich mit dir mich unlösbar verweben –
Ich hab so Angst um Mitternacht!
Es schreckt ein Traum mich aus vergangenem Leben
An den ich gar nicht mehr gedacht.

Ich pflückte mir so gern nach banger Nacht
Vom Berg der Frühe lichtgefüllte Reben.
Doch hat die Finsternis mich umgebracht –
Geopfert deinem Wunderleben.

Und es verblutet, was du mir,
Ich dir gegeben,
Und auch das bunte Sternenzeichen
Unserer engverknüpften Hand,
Das Pfand!!

Und neben mir und dein –
Auf meinem Herzen süßgemalt enthobnem Sein
– Tröstet mich ein Fremder übermannt.

Ihm mangelt an der Ouvertüre süßem Tand
Streichelnder Flüsterspiele seiner Triebe,
Verherrlichend den keuschen Liebeskelch der Liebe.

## ICH SÄUME LIEBENTLANG

Ich säume liebentlang durchs Morgenlicht,
Längst lebe ich vergessen – im Gedicht.
Du hast es einmal mir gesprochen.

Ich weiß den Anfang –
Weiter weiß ich von mir nicht.
Doch hörte ich mich schluchzen im Gesang.

Es lächelten die Immortellen hold in deinem Angesicht,
Als du im Liebespsalme unserer Melodie
Die Völker tauchtest und erhobest sie.


## AN APOLLON

Es ist am Abend im April.
Der Käfer kriecht ins dichte Moos.
Er hat *so* Angst – die Welt *so* groß!

Die Wirbelwinde hadern mit dem Leben,
Ich halte meine Hände still ergeben
Auf meinem frommbezwungenen Schoß.

Ein Engel spielte sanft auf blauen Tasten,
Langher verklungene Phantasie.
Und alle Bürde meiner Lasten,
Verklärte und entschwerte sie.

Jäh tut mein sehr verwaistes Herz mir weh –
Blutige Fäden spalten seine Stille.
Zwei Augen blicken wund durch ihre Marmorhülle
In meines pochenden Granates See.

Er legte Brand an meines Herzens Lande –
Nicht mal sein Götterlächeln
Ließ er mir zum Pfande.

## AN MICH

Meine Dichtungen, deklamiert, verstimmen die Klaviatür meines Herzens. Wenn es noch Kinder wären, die auf meinen Reimen tastend meinetwegen klimperten. (Bitte nicht weitersagen!)
Ich sitze noch heute sitzengeblieben auf der untersten Bank der
Schulklasse, wie einst... Doch mit spätem versunkenem Herzen: 1000 und 2-jährig, dem Märchen über den Kopf gewach-
sen.

Ich schweife umher! Mein Kopf fliegt fort wie ein Vogel, liebe
Mutter. Meine Freiheit soll mir niemand rauben, – sterb ich am
Wegrand wo, liebe Mutter, kommst du und trägst mich hinauf
zum blauen Himmel. Ich weiß, dich rührte mein einsames
Schweben und das spielende Ticktack meines und meines teuren
Kindes Herzen.

# GEDICHTE AN UND ÜBER PERSONEN
## EINIGE ULKIADEN

GEORG KOCH

Seelisch verstaubt –
Oft trägt sein Hals schon eine Totenmaske.

Ganz, ganz ernst
Ist der Bildhauer Georg Koch;

Verstorben, aber balsamiert von den Oliven,
Die an seinen Träumen hängen.

Er liebt den Süden der Welt;
Wir reisen oft von Napoli

– Unsere abenteuerlichen Sinne
Sind weiße Segel –

Heimlich auf einem Gespensterschiff
Nach Palästina.

Kein Jude begegnet den Juden feierlicher
Wie dieser Christ mit den blauen Schubertaugen.

Seine Geschöpfe formt er nach seinem Ebenherzen,
Sie springen unerwartet aus ihm,

Wie die Zwangsgrimasse, die so oft
Über sein vornehm gemessenes Gesicht schleicht.

Denn sein Herz ist sicher ein Katerkopf
Geweiht hinter grausamen Gittern heilig.

Was Georg ballt und schafft?
Nicht dumpf Tier, nicht klar Mensch,

Aber jede seiner Kreaturen,
Haucht er Geist und Odem ein,

Den keine Wissenschaft gewinnen kann
Geschweige der Kunstdelettant,

Dessen Machwerke nicht atmen
Und so kein ewiges Leben in sich tragen.

Des wahren Künstlers edelste Eigenschaft
Heißt »Gott«.

– Die seltsam gehauenen Steine im Atelier Kochs?
Vielleicht sind es gestaltgewordene unheimliche Gesänge.

Jeder der Köpfe blickt, und hört,
Ja, belauscht und übertönt sich mit seinen entrücktesten Gefühlen.

Ihr Schöpfer ist der erste und einzige
Futuristische Bildhauer.

Einer seiner düsteren Propheten
Könnte wahrhaft »Baß« heißen.

Dieser wie alle Tongebilde Georg Kochs blicken in sich
Religiös, einsiedlerisch, streng bezwungen.

Im Dämmer wie des stillen Bildhauers Kopf.


DIE SCHAUSPIELERIN

Tilla! Ruft sie Gemahl,
Dienerin, Magd
Und Aras, der Papageimandrill.

Diese Bühnenherrin, die so sehr
Des Kindes Zuspruch
Und großer Zärtlichkeit bedarf.

Die Kulisse atmet,
Und unter ihren Füßen
Ballt eine Erde sich auf.

Blüht ein Tal,
Rauscht ein verwegener Strom,
Murrt Lava im Fels.

Als sie die Katharina spielte,
Trug diese slawische Simsonin
Rußland auf ihrer Schulter ins Haus.

Wie im Leben voll Mut
(Mut macht einen Charakter aus),
Las sie aufbäumende Verse,

Kämpfte mit zurückgelassenem Wort
Fern weilender Dichter
Immer wieder aus Gerechtigkeit.

Mit altem Hugenottenblut gemalt,
Im Ebenholzrahmen auf Elfenbein vergilbt,
Lächelt Tilla aus der Urahnin Antlitz.

Und wie sie sich entzaubern kann,
Bleibt sie auch immer eine schenkende Schelmin,
Ein weiblicher Nikolas.

Aus St. Paulis Matrosenkneipe,
So eine Lose... »Komm in meine Lie - -beslaube«
Trillert sie wirklich charmant;

Und am Abend aus weißem Opal
Die Rhodope im Theater zu spielen:
Geweihte Frau im häuslichen Hain.

Den Schauspielen Shaws
Setzt sie eine schimmernde Nase auf.
Dann ist Tilla die große Clownin.

Barlach formte ihren Kopf
In bläulich Porzellan.
Als Kleopatra malte sie Slevogt.

Senken sich ihre witternden Vogelaugen,
Dann schwankt die Bühne vor Todesbeben:
Alkestis.

Oft aber schweben die seltsam seltenen,
Grauen Vögel unter feinen Brauenbogen weit fort,
Als ob sie nie wiederkehren.


## CARL SCHLEICH

Strindbergs Zwillingsbruder.
Auf ein Haar gleichen sich die Königstigerköpfe.

Wenn Schleich von Strindberg erzählt,
Heimwehen seine gelben Augen leidenschaftlich.

Ich glaube, die Freunde gingen
Unter einer gestreiften Haut.

Es glitzert um Carls feinen Mund
Wenn er feierlich an August denkt....

Immer wurde ihr Gespräch
Ein Konzert.

Denn auch Carl Schleich ist ein Dichter,
Abenteuerlich setzt er wie der Unvergeßliche

Im kühnen Weltensprunge
Durch den Reif in Gottes zeitlicher Hand.

Die Medizin studiert Carl
Am Geripppe der Ewigkeit:

Denn sein Gehirn ist ein Leuchtturm,
Wenn sein wogendes Herz waghalst;

Ritzt sich oft am Dorn der Kranken,
Des Leidens Ursache zu erspähen.

Faulende Beine und Füße,
Hände und Arme sägt der Doktor vom Stamm

Und rettet dem welkenden Menschen
Den Sommer –

Tausendundsiebzehnjährig lächelnd, ein träumerischer Schwarzseher
Tritt er manchmal an unsern bunten Caféhaustisch:

»Kinder, bald schieb ich ab«. . . . ,
Er meint dann ernsthaft, er ende noch am Abend.

Wie an allen künstlerischen Menschen Leben und Sterben schimmert,
Hängt auch an Schleich der Ton der Eingebung;

Und er feiert Dasein, Grablegung und Himmelfahrt.
Auf jeder Seite seiner Büchertestamente wächst ein Wunder.


## MARIANNE VON WEREFFKIN

Marianne spielt mit den Farben Rußlands Malen:
Grün, Hellgrün, Rosa, Weiß,
Und namentlich der Kobaltblau
Sind ihre treuen Spielgefährten.

Marianne von Wereffkin –
Ich nannte sie den adeligen Straßenjungen.
Schelm der Russenstadt, im weiten Umkreis
Jeden Streich gepachtet.

Ihren Vater, der Verweser Alexanders,
Trägt sie im Medaillon um ihren Hals.
Marianne malte ihn, achtjährig war sie erst:
Hier *fiel* vom Himmel eine Meisterin.

Goldene Saat wächst auf ihrer Landschaft,
Wenn gottgefällig sich ein Baurenvolk
Im Kreise um die reiche Ernte freut.
Man hört vom Turm Geläut, malt sie den Sonntag.

Mariannens Bilder sind Geschöpfe,
Sie atmen und voll Leben strömen sie
Und wie ein Meer und wie ein Wald
Bergen sie auch tiefsten Frieden in sich.

Mariannens Seele und ihr unbändig Herz
Spielen gern zusammen Freud und Leid,
Wie sie so oft die Melancholie
Hinmalt mit zwitschernden Farbentönen.


SIGISMUND VON RADECKI

Ein baltischer Edelmann, Mensch und Dichter,
Und Sigismund und Schwärmer und Verweser.

Melancholie stritt schmerzlich mit des Herzens Juliüppigkeit,
– Die Lieblingsschwester, seine Dichterin, lag fern im Todesrot.

Als er mir ihren Abschiedsbrief ergriffen vorlas: »Herzlieber
          Bruder mein...«
Begruben wir den lieben Engel unter stillen Worten.

Sigismunds gewaltiges Erdenherz hat Jahreszeiten:
Glück, Himmel, Sturm und Tod.

Und wer erlebte nicht einmal die Laune seiner Laune: Schelm,
Der sitzt auf seiner Zungenspitze, spitzt und pfeift den ersten April.

Der Sigismund besucht noch manchmal die Obertertia im Traum,
So brachte er mir strahlend einen blauen Falter unter Glas wie Zensur 1
    ins Haus.

Und wir bekennen uns zu Kinonitern Schulter an Schulter,
Ausgerüstet mit Fruchtbonbons, begeistert ziehen wir in manchen
    blutigen Film.

Von Schweden Svenska hin nach Troja I., II. Teil, wo der Achill
Mit den unnahbaren Händen dem Patroklos schrecklich Opfer bringt.

Auch Chaplin spielt im Mozartsaal; wie wir den hoch verehren!
Zwischen Dumier und Christian Morgenstern sitzt er im Tempel: Kunst.

Und wir verkürzen uns den Abendrest,
Indem wir Reime reimen auf Chaplin, den Kosmiker der Komiker.

Und einmal liebte Sigismund ein Paar blaue Augen.....
Da prallte heißer Dichtung Mittagssonne auf sein liebevolles Herz.

Auch seine Übersetzung wird zur eigenen Dichtung,
Da ihm gelingt, Tönung und Farbe pietätvoll zu bewahren.

Puschkin und Gogol wurden ihm zu übertragen anvertraut,
Ins Deutsche, das er unvergleichlich stark beherrscht.

Er kaufte einen ungeheuren Bogen, einen Samowar voll Tinte
Und sitzt von früh bis spät in seinem kleinen Kreml,
Wo seine Feder voll vom schwarzen Blute klebt –!


JANKEL ADLER

Man nennt ihn überall den lieben Jankel.
Wir sind aus einer Stadt und gingen in dieselbe Schule
Und schlidderten mit Vorliebe über zugefrorene Gossen.

Der liebe Jankel hatte damals schon zwei Knospen im Gesicht,
Die tun sich heute auf verklärt und bibelvoll
Erzählt er uns vom Balchem.

Im Traum zur Nacht trägt man ihn feierlich,
Wie seinen Urrabunivater einst auf Zweig und Blatt
Vom stillen Walde in die Hallelujastadt.

Weiht er doch jedes Bildnis, das er malt,
Mit dichterischer, großer Harfenschrift
Seinem jungen Gotte Zebaoth.

Und selbst dem Argen unter den Gestalten,
Dem trügerischen Goldverleiher mit dem Fuchshaar,
Heiligt der Davidstern des alten Judenbluts!

Die Wupperstadt mit rosigem Sterbevogel –
Im Morgenrot und frühen Tod und brüderlichen Psalm:
»Mein kleines Schwesterlein ruht hier in Frieden.«

Und ebenso voll Herrlichkeit das Bildnis seines Freundes:
Aribert des großen Schauspielers Wäscher in Berlin:
Durchsichtig aus Buntkristall, Farbe kristallisierte sich.

Hingegen im begabten Maler Seyferts Kopf
Wird Jankels Farbe zu geronnenem Blut.
Schauervoll... Herzschlag setzt aus.

Im wahren Sinn des Wortes malte aus der Vogelperspektive
Mein Heimatfreund krähend den »Hahnenverkäufer«.
(Es riecht tatsächlich nach Gefieder.)

In dieser Bildeshöhe zeitlosem Geschmeide
Wird Jankel Adler der hebräische Rembrandt.

## HANS JACOB

Die Eltern waren ihm so früh gestorben, –
Und eine Fremde hütete ihr Hänschen.

Wie aus dem Osterei geschält,
Adrett saß es, sechsjährig, *comme il faut,*
Im französischen Gymnasium in Berlin;

Im Schillerkragen und langwehender Kravatte,
Den Ordinarius überfältigt, *tout à fait,*
Der kleine Chevalier.

Und seine Liebe wuchs mit jeder Klasse
Zu den Poeten Frankreichs.
Der elegante Futuristenhäuptling hatte es ihm angetan.

Der war des Staunens übervoll!
Wie oft sah ich im alten Café Westen
Marinetti mit dem Knaben lebhaft plaudern.

Dann kam der Krieg. –
Zum Teufel! – Ihm zum Ärger ausgerechnet gegen Frankreich!! –
– Und zog doch seinen Brüdern an die Front nach.

Als junger Offizier schon übertrug er: Balzac
Und andere große Romanciers ins Deutsche.
Ich rate zu der spannenden Lektüre.

Der Übersetzer las mir öfters die Poeten –
Nicht allzulange ist es her –
In Theben im Palast vor.

Die kosten dem Hans Jacob schlummerlose Nacht.
Und unermüdlich scheint auf seine Arbeit klar der Mond.
*La lune* nennt man in Frankreich seinen goldenen Freund.

## ERNST TOLLER

Er ist schön und klug
Und gut.
Und betet wie ein Kind noch:
Lieber Gott, mach mich fromm,
Daß ich in den Himmel komm.

Ein Magnolienbaum ist er
Mit lauter weißen Flammen.
Die Sonne scheint –
Kinder spielen immer um ihn
Fangen.

Seine Mutter weinte sehr
Nach ihrem »wilden großen Jungen«...
Fünf Jahre blieb sein Leben stehn,
Fünf Jahre mit der Zeit gerungen
Hat er! Mit Ewigkeiten.

Da er den Nächsten liebte
Wie sich selbst –
Ja, über sich hinaus!
Verloren: Welten, Sterne,
Seiner Wälder grüne Seligkeit.

Und teilte noch in seiner Haft
Sein Herz dem Bruder dem –
Gottgeliebt fürwahr, da er nicht lau ist;
Der Jude, der Christ ist
Und darum wieder gekreuzigt ward.

Voll Demut stritt er,
Reinen Herzens litt er, gewittert er;
Sein frisches Aufbrausen
Erinnert wie nie an den Quell...
Durch neugewonnene Welt sein Auge taumelt

Rindenherb, hindusanft;
»Niemals mehr haften wo!«
Hinter kläglicher Aussicht Gitterfenster
Unbiegsamer Katzenpupillen
Dichtete Ernst im Frühgeläut sein Schwalbenbuch.

Doch in der Finsternis
Zwiefacher böser Nüchternheit der Festung
Schrieb er mit Ruß der Schornsteine
Die Schauspiele – erschütternde – der Fronarbeit:
In Kraft gesetzte eiserne Organismen.

## HEDWIG WANGEL

Auf Papyros steht geschrieben:
Hedwig Wangel.

Sie ist St. Petrus Schwester,
Der zur Rechten des Nazareners saß.

Eigentlich heißt sie:
Petra.

Im Gedanken reicht sie den Krug
Ihrem Herrn.

Sie trocknet seinen ehernen Fuß
Mit ihren starken Haaren.

Und blickt zum Edelrabbi auf
Durch schimmernde Wimper.

Und zittert für das auferstandene Leben
Jesus Christus.

Den sie erkannte ungestüm
Fernhin im Abendlande.

Sie betet auf Golgatha
Seiner Seele nach.

Und wandelt über Jerusalems Wolken
Und wuchtigen Schritts durch seine morschen Gänge.

Eine religiöse Generalin,
Jesus Christus ihre Majestät.

Petra: Weißglühende Felsin,
Hedwig: Tannenbaum im Garten Gethsemane.

Phantastische Eroberin,
Die über sich den Bann sprach.

Künstlerin, herab vom Thron der Bühne stieg
Zur grauen Wurzel.

Armen ihr Blut reichte,
Dem Lauen frisches Herzblut schenkte.

Heiligenschein blüht um ihr Herz,
Und eine Säule ist ihr klarer Sinn,

Darauf geprägt ihr Lieblingswort:
»Nur der, der reinen Herzens ist,
Wird Gott schauen.«


FRED HILDENBRANDT

Ein deutscher Gentleman,
Rittersporn schmückt seine Gesinnung.

Er saß viel unter Birken
Zwischen lichten Baumbräuten.

An sie erinnert jede Frau,
Die reinen Herzens ihm begegnet.

Er ist religiös,
Weihrauch umwölbt ihn blau.

Da manchen Strahlenvers er schrieb
Madonna in den heimatlichen Schnee.

Wie ihn denk ich mir Eichendorff;
Mein erster Dichter.

Streift Hildenbrandt auch nicht
Durch alter Zeiten Dichtung Tal;

So fließt sein blumig Wort
Gutedler Wein ganz echt ins Blut.

Herzgabe sein Essay
Im Abendrote einsam hingezaubert.

Erzogen ist sein Herz, das ziemt den Dichter,
Takt, männliches Geläute, Domzucht

Und Klugheit übte sich mit Mut,
Und was er dichtet, flößt dem Leser Achtung ein.


CARL SONNENSCHEIN

Ein Engel schreitet unsichtbar durch unsere Stadt,
Zu sammeln Liebe für den Heimgekehrten,
Der noch den Nächsten – über sich – geliebet hat. –

Schon eine Träne für den Liebenswerten,
Ein Auge, das für seine Seele leuchtet,
Ein reines Wort, von deines Mundes rotem Blatt –

Für ihn, dem alle Sorgen ihr gebeichtet;
In seinem herben Troste lag schon seine Tat.

## LEOPOLD KRAKAUER

Himmelsgewölbe, die zur Erde gefallen,
Sich zu versteinen und zu vereinen zu Bergketten.
Grau und sandfarben, doch vom Sonnenuntergang gefärbt,
Schreien sie auch auf der Zeichnung
Bunttobend zu Gott!

Leopold Krakauers Zeichengemälde
Sind Geschöpfe.
Von der Gestalt ungeheurer Kamelbuckel,
Wie im Luftrahmen der Natur ganz enthäutet.
Man vernimmt des Herz des Wüstenberges
Noch entschlafen pochen auf dem Bilde.
Pochend mit den Toten in der Gruft des Ölbergs
Am Gottestor der Auferstehung grünenden Rebstocks.

Der Maler haucht, ein Schöpfermensch
Den Bildern Seele ein.
Liebreich wie Gott dem Heiligen Berge
Sinai, dem Gestein Moabs und Gilboas.
Des Malers Höhen erheben sich –
Weit über Stift und Blatt zur Ewigkeit empor.
In ihren steinumrissenen Schalen
Ruhen Adern, Gewebe und Organ.
Und – überall
Greises grenzenloses Schweigen...

Ursprüngliche Bauten, Kuppel über Kuppel;
Man sucht, ein müder Gotteswanderer, die Pforte.
Erzsynagogen der Erzengel,
Die sich versammeln zur Flügelgemeinde.
Heroisch erbaut aus geronnenem Blut, Staub und Erleuchtung,
Verewigt der Maler
Ewigkeiten.

All seine stolzen Sarkophage auf den Bergen
Bewahren Gottes »verlorenes Ebenbild«,

– Der Menschheit verlorengegangener Schatz!
Was sind wir Geschöpfe
Ohne Gottes bewegendes Lächeln?
Ich weiß es nun:
Erkaltete Berge und Hügel.

In den Tagebuchzeichenblättern »L.K.s«
Hast du die Bildsprache der Schöpfung nicht vergessen,
Erfaßt den Betrachtenden:
Göttliche Weisheit.

## WERNER KRAFT

Ein Troubadur tiefsten Formats.
Er singt vor dem Wolkenfenster der leisverschleierten Welt.

Ist sie doch seine unsterbliche Geliebte, –
Herre Werner ihr ehrerbietiger Kavalier.

Hört! die Welt ist nicht verloren –
So lang ein Sänger sie besingt!..

Ein edler Rittersporn steigt er empor
Am Bogenfenster seiner Dame,
Der Welt!......

Mit großer Zucht geschrieben,
Tönen Vers an Vers gereiht,

Melancholisch – Krafts Gedichte.
Es blutet sehnsüchtig des Verses Herz.

Über Ureigenes versunken
Entgleitet er jäh.

Verwundert erwacht sein Auge
Im Glanz des Mittags.

Das Buch seiner Gedichte:
Abbild des innerst innigen Menschen.

Man lese in seinem Buch:
Traum und Erwachen.

Und zweite dir gereichte Versgabe
Das wundervolle Gedicht: Orpheus.

Ungeheuer, hold zugleicherzeit:
Die Verwandlung der Angst.

So verdunkelt und gelichtet,
Ist nur ein wahrer Dichter im Stande zu dichten,

Der schon bei Lebzeiten
Sein Körperverlies von sich abzuschütteln vermag,

Die ihm anvertraute Seele,
Ganz im befreienden Lichte steht.

Tausendmal verzaubert sein Wort,
Ehe der Vers – Melone dem Leser gereicht.

## ALFRED KERR

Jakobsohn und Jakobfritzen
Lassen die Tinten spritzen
Wasserfarbenrot.

Und Mühsam, eh ichs vergesse,
Kain heißt seine Presse;
Kein Jakob schlägt sie tot.

Und Pfemfert, der Aktionäre,
Zieht mich in die Affaire:
Ob Dr. Kerr tut not?

Was Dr. Kerr bedeute
Für die Literatur von heute –
Ein Silberling im Brot.

## UND DER PAUL GRAETZ

Der war der Großvatter in meinem Wupperkreise,
Um ihn hat sichs ja eigentlich gedreht.
Im himmelblauen Schlummerrock aus dem Gehäuse
»Tum Tingelingeling« schlich er noch mit dem Enkel spät.
Und unvergleichlich wieherte Paul Graetz in eigenartiger Weise,
Een ollet kränklich Roß, dat an der Seite tugenäht.

## AN FRIEDRICH TORBERG

Sir!
   Wer in Cafés oder Bars,
Noch hintern Sternen gestern wars,
So viel verzehrt und Gläser leert
Und Memphis raucht und Parisienne –
Dem gehts nicht allzu schlecht – und wenn,
Ist's einer Rüge höchstens wert.

Ich bin des Schimmelpfennigrappens Detektivbureau
Und so
Und aus Erfahrung kenn ich meine Leute.
Sind welche, die zu schwelgen pflegen heute
Und morgen pauvre essen irgendwo,
Flaischlen im Herzen, Sonne in der Milz.
Wenn's aber etwas auszufressen gibt – *mir* gilts.

Im Grunde weinte ich gerührt, etwas geziert,
Beim Lesen jeder Ihrer Büttenseiten.
Guirlanden glaubt man Ihre Schrift vom weiten,
Und nicht zerpflückt, wie bei *mir* hingeschmiert
Und nachträglich erst manicürt.

Wie Sie, Thorquato, hat noch nie jemand erkannt
Bis in die Ein- und Ausgeweide
Mich und mein zweites Mich. Ich glaub wir sind verwandt,
Wir beide –?
Vielleicht am Wahltag wahlverwandt?

Gedicht zu singen auf die Melodie:
Wär ich geblieben doch auf meiner Heide.

## ZWEI ULKIADEN

*Man riet mir ab, die beiden lieben Gedichte ins Buch aufzunehmen. Ich frage*
*aber immer die Sterne und hier das Publikum?*

### DIE ERSTE

### DER KARTOFFELPUFFER

An der Grenze zwischen Rheinland und Belgien nennt man ihn: Le
Reibepfannekuchen.

> Kaiser Karl zu Aachen saß,
> Am liebsten auf dem Throne,
> Wenn er Le Reibekuchen aß
> Mit starker Kaffeebohne.

Beide Völker, das deutsche wie das belgische, genießen ihn mit Vorliebe.
Die Delikatesse schwimmt weiter den Rhein herauf bis zur Schweizer
Grenze.

> In Züri der Vegetarierhirt,
> Stammt eigentlich aus Bayern.
> Wenn dir's mal flau im Magen wird,
> Sein Küchli schwimmt in Eiern.

In Köln, Ohligs, Düsseldorf, Neuß, Hamm, Dortmund, Coblenz, Neu-
wied wirkt das Nationalgericht geradezu elektrisch. Namentlich im
Wuppertal, wo des Reibepfannekuchens Pfanne stand und in Elberfeld-
Barmen die Butter der Welt erblickte. Ursprünglich wurde er in *reiner*
Butter gebraten; heute noch ganz ohne Butter im ärmsten Viertel der
Wupperstädte nicht. Das half and half hingegen, beleidigt die Zunge
des Wuppertaler Feinschmeckers. – Großgewachsene Kartoffel schält die
Köchin und reibt sie zu Teig. Kein Mehl kommt dazu wie in der Spree-
küche, – aber einige gequirlte Eier, so eben recht frisch gelegte Ostereier.
Salz hätte ich beinahe vergessen! Daß man den Berlinern nicht abgewöh-
nen kann, das begehrteste Gericht aller Gerichte in Nierenfett oder gar
in Schweineschmalz zu backen.

> Ach und ärsch in Dräsden, Leipzig,
> Wo die Kartoffel selber reibt sich
> In der Maschine zum Kartoffelpufferteig.

»Kartoffelpuffer« nennt der Norddeutsche unseren *lieben* Reibepfannekuchen.

> Und was zu guter Letzt passieren kann,
> Freut man sich auch den Tag auf diese Zauberspeise.
> – Es kommt natürlich auf die Heimat Ihrer Köchin an?
> – Beißt man auf Zwiebeln im Familienpufferkreise.

Eßt Kartoffelpuffer! Zumal er zubereitet wie in seinem Vaterlande, er zu
den leichtbekömmlichsten Speisen zählt.

> Und nicht entehrt wird von der Köchinmutter;
> Im Schweineschmalz geknuspert, armes Ferkel!
> Ja, so reicht man in Berlin den Puffer
> Oft im anspruchsvollsten Zerkel!

Und das Ungeheuerlichste ist –

> Man pflegt ihn obendrein
> Mit Zucker zu bestreuen!
> DAS WIRD BERLIN NOCH EINMAL SEHR BEREUEN!

Gerade seine Herbheit nach Wuppertaler Rezept ist es, die der Zunge nie
geträumte und gebräunte Illusionen bereitet.
Eßt Kartoffelpuffer!!!!
Auch ich bestehe der Versuchung nicht, und lasse mich von ihm ver-
suchen.
Lottchen (schwärmerisch): »In Süßrahmbollebutter, Männe, wird er – ein
Gedicht«...
Sogar ein klassisches:

> Wer knuspert so spät durch Nacht und Wind?
> Es ist ein Puffer in Tantchens Spind.

Übrigens:

> In den Sternen steht es groß geschrieben,
> Daß die Mondbewohner den Kartoffelpuffer lieben;
> Und ihn backen jeden Sonntag fast.
> Fragt nur Einstein, er ist oft zu Gast.

> Da schon Lucullus ihn mit Begeisterung schluckte,
> Buckte seine Köchin, die sonst Gifte spuckte,
> Den Kartoffelpuffer, ohne, daß sie muckte!

Der Schah von Persien Abdullah,
Fand im Puffer goldenes Frauenhaar.
– Er ließ die Dame zu sich kommen...

Selbst Bonaparte speiste ihn
Den Reibepuffer mit der Josephin.
Ob Werner Krauß Napoleon
– Ihn mag? Ich glaube schon.

Und weiter, frei nach Schillers Text,
Bis mir der Puffer aus dem Halse wächst, –
Könnt ich Armeen aus der Pfanne stampfen,
Sie alle würden heiß serviert und tüchtig dampfen.

Der lieben Hedwig Wangel den ersten zur Dedikation:
Die Hedwig Wangel backt die Puffer fromm in Pflanzenschmalz
Und würzt den Teig mit ihrer Liebe starkem Salz
Für ihren strafentlassenen, armen Mädchenchor.
Am Tor der Hoffnung schlingt der Puffer sich empor.

Bitte, machen Sie doch auch einmal einen Kartoffelpuffer-Reim! – Na also:

Sitzen wir, verehrte Dichterin, wie ein Duett
Im Sachsenhof bei dir, am Puppenherde.
Zum Paradies wird diese Erde –
Doch unser Puffer wie – ein – Brett.


## DIE ZWEITE

### DER SCHNUPFEN

Ich habe ihn doch wieder! Niesen ist unmodern geworden.

In den Biedermeierjahren,
Als die Leute noch gemütvoll waren,
Wünschten sich: »Gesundheit!« beide Gatten.
Oder auch: »Zum Wohlsein! wenn Sie mir gestatten.«

Haben doch die meisten Leute im Laufe der Jahrzehnte der Tournüre
Artigkeit gewissenlos eingebüßt und opfern keine Worte weiter zur
Verherrlichung des Schnupfens. Mit Rezepten sind sie bei der Hand.

Ich trage meinen Schnupfen heute noch mit Würde,
Und klage nicht das launige Sommerwetter an.
Ich finde, »klagen«, irgendwie absürde,
Wenn man noch eben etwas schnaufen kann.
Nähm ein Verleger mir nur meine Bürde,
Die ungedruckt an meinen Ästen hängt.
Die vielen Verse werden erst zur Zierde,
Wenn ein Verlag sich druckreif danach drängt.
Gedichte, die ich in den letzten Jahren schmierte,
Prosa hellrosa, cetera, was liegt daran –
In die ich en passant die Welt einschnürte,
Beweise lieferte, daß ich was kann.
Und erst was können könnt, postwendend postrestant.
Was drängt Ihr euch zu lindern meinen Schnupfen,
Als wären wir beinahe blutsverwandt.
– Am Abend führ ich in mein Nasenloch den Wattetupfen –
Vorher – in Glyzerin getaucht und – schnarche dann.


DAS LIED VOM GUTSEIN MIT DEM GUTSCHEIN

Ich hab ein Reich besessen von Haupt- und Scheitelstädten
Und immer war es drinnen warm, es kannte keine Nässen,
So reich war niemand einst wie ich war. Wetten?

Ich tat nur Gutes, ach ich könnt es sonst vergessen.
Gutes und wieder Gutes und noch einmal – Gutes – fast vermessen.
Contre myself – – – ich trüge heute goldene Schulterketten.

Ich war so gut, mir wird noch weiland übel und besessen
Vor Gutsein – und gilt es heute auf der Hut sein oder ohne Hut sein,
Doch Frühjahr kommt und ich erhole mich vom Gutsein zwischen
        Blattsalat und Kressen.

VERSTREUTE GEDICHTE
VERSE AUS DEM NACHLASS

## VERWELKTE MYRTEN

Bist wie der graue sonnenlose Tag,
Der sündig sich auf junge Rosen legt.
– Mir war, wie ich an deiner Seite lag,
Als ob mein Herze sich nicht mehr bewegt.

Ich küßte deine bleichen Wangen rot,
Entwand ein Lächeln deinem starren Blick.
– Du tratest meine junge Seele tot
Und kehrtest in dein kaltes Sein zurück.


## KISMET

Der Sturm pfeift über ein junges Haupt
Und zerschlägt die Götter, an die er geglaubt,
Und die gold'nen Märchen vom Glücke. –
Sein holdes Liebchen liegt unter dem Moos.
Der Tod erstarrte erbarmungslos
Die sonnigen Kinderblicke. –

Die Nachtviolen singen ein Lied,
Wenn wie Himmelsbrand das Abendrot glüht.
– Es klingt wie Engelchoräle. –
Und das Lied durchzittert die nächtliche Luft;
Es bringt ihm Grüße aus ihrer Gruft –
– Und zerreißt seine schluchzende Seele. – – –


## RESIGNATION

Umarm' mich mütterlich und weich,
Und zeige mir das Himmelreich,
Du träumerische Nacht;
Und bette meine Sorgen,

In deinem Schoß verborgen,
Auf Rosen und auf Silberlaub
Im tiefen Erdenstaub.

Im Dämmerlicht, im Dämmerschein
Zerstäuben deine Träumerei'n
In blauer Wolkenpracht.
Ich rüste mich zur Tagesschlacht!
Und sehne mich nach ew'ger Nacht.
Zu schmelzen still im Abendrot,
In deinem Heilandarme, Tod.

## BRAUTWERBUNG

Ihr kennt ja All' die Liebe nicht
Die in mir glüht, die in mir stürmt
Wie unerfüllte Weltenpflicht.
Das Feuer hat sich aufgetürmt
In meiner Seele Einsamkeit
Und brennt wie Steppenbrand.

Du! mit dem roten jungen Mund....
Du weichst zurück in banger Scheu?
Und nennst mein Fühlen ungesund.
Es blieb dem tiefen Drang getreu
Dem Mittage der Frühlingszeit
Im Sonnenland.

Du! mit den Augen jugendcharme....
Du schlägst sie nieder angsterfüllt?
Und fürchtest, daß mein Flammenarm
Dich an sich reißt in Nächten wild.
Nimm dir zum Schatz den Erdenmann
Ihn friert selbst in der Sonne Glut.

Du! mit den Wangen südenbraun....
Du zitterst wie die Frühlingsflur, –
Auf deinem Leibe will ich bau'n
Den roten Garten der Natur
Und pflanzen all die Sehnsucht an
Aus meinem ungestümen Blut.


## SEHNSUCHT

Mein Liebster, bleibe bei mir die Nacht.
Ich fürchte mich vor den dunklen Lüften.
Ich hab' so viel Schmerzliches durchgemacht
Und Erinnerung steigt aus den Totengrüften.
Ich fürchte mich vor dem Heulen der Stürme
Und dem Glockengeläute der Kirchentürme,
Vor all' den Thränen, die heimlich fließen
Und sich über meine Sehnsucht ergießen.

Leg deine Arme um meinen Leib,
Du mußt ihn wie dein Kind umfassen;
Ich seh' im Geiste ein junges Weib –
Das Weib bin ich – von Gott verlassen.....
Mein Liebster, erzähle von heiteren Dingen!
Und ein Lied von Maienlust mußt du singen!
Und herzige Worte und schmeichelnde sag –...
Damit sie die Raben des Schicksals verjagen.

Mein Liebster, siehst du die bleichen Gespenster?
Von mitternächtlichen Wolken getragen...
Sie klopfen deutlich ans Erkerfenster.
Ein Sterbender will »Lebewohl« mir sagen.
Ich möchte ihm Blüten vom Lebensbaum pflücken....
Und die Schlingen zerreißen, die mich erdrücken!
Mein Liebster, küsse, – küß' mich in Gluten
Und laß deinen Jubelquell über mich fluten!

## PHANTASIE

Ich schlummerte an einem Zauberbronnen
Die Nacht – und träumte einen stillen Traum
Von Sternenglanz und Mondenblässe
Und silberhellem Wellenschaum.
Von dunkler Schönheit der Cypresse
Und von dem Glühen deiner Augensonnen.

Der Neumond kann sich nicht vom Morgen trennen –
Ich hör' ihn mit den jungen Faunen scherzen –
Im Thale blühen heiße Purpurrosen
Und Lilien, andachtsvoll wie heil'ge Kerzen
Und sonnenfarbig, goldene Mimosen
Und Blüten, die wie meine Lippen brennen....


## FRAU DÄMON

Es brennt der Keim im zitternden Grün
Und die Erde glüht unter dem Nachtfrost
Und die Funken, die aus dem Jenseits sprühn,
Umschmeicheln den Sturmwind von Nordost.
Es rötet die Lippe der Natur die paradiesische Sünde
Und die Sehnsucht schickt ihre Kräfte aus, wie brennende
      Wüstenwinde. –

Als eine Natter kam ich zur Welt
Und das Böse lodert und steigt und quellt
Wie die Sündflut aus Riesenquellen
Und die Unschuld ertrinkt in den Wellen.

Ich hasse das Leben und dich und euch
Das Morgenrot und die Lenznacht.
Durch mein Irrlichtauge verirrt euch ins Reich
In den Sumpf der teuflischen Allmacht.

Die holdesten Nächte umfängt meine Gier mit blutiggefärbten Banden,
Denn die Schlange, der Teufel vom Paradies ist in mir auferstanden.
Ein Giftbeet ist mein schillernder Leib
Und der Frevel dient ihm zum Zeitvertreib,
Mit seinen lockenden Düften
Den Lenzhauch der Welt zu vergiften.


## DAS LIED VOM LEID

Ich bin ein armes Mägdelein
Und weine leise im Sonnenschein...
Der Hunger kam als schlechtes Weib
Und höhnte über meinen Leib,
Der altes Leid in Unschuld trägt.

Ich bin ein armes Mägdelein....
Und weine leise im Sonnenschein.
Der Hunger kam in Teufelstracht
Und hat mir dreizehn Dukaten zur Nacht
Verstohlen unters Pfühl gelegt.

Ich bin ein armes Mägdelein....
Sie jagten mich aus dem Kämmerlein.
...Nun geh ich tanzen für kleines Geld,
Mein süßes Kind kommt tot zur Welt,
Wenn der Wintersturm die Heide fegt.


## EIN GEIGENLIEDCHEN

Die jungen Rosen sprossen
Und erbleichen in stiller Sehnsuchtsglut.
Ich habe sie heimlich begossen
Mit meinem sprudelnden Blut. –

Ich liebte ein kleines Mädchen
Mit sonnenfarbigem Seidengelock.
Und küßte das holde Gretchen
Oft hinter dem Rebenstock.....

Ich mußte durch Welten wandern
Und küßte seitdem manchen roten Mund.
Mein Mädchen und die andern,
– Sie gingen in Sehnsucht zu Grund. – – – –


## O, ICH HAB DICH SO LIEB

Dein Goldblond nimmt nur
Meinen Hauch an.

Aber ich mag mich
Dir nicht nahen...

Die großen Blutbuchen
Meiner Träumerei
Färben meine Nächte.

Ich bin Wasser!
Immer schlägt wilde Welle
An mein Herz.

Über dunkel Gestein
Und schweigende Erde
Muß ich.

Über Gottes Grab.
Wie schmerzt mich meine Trauer.

## ALS DER BLAUE REITER WAR GEFALLEN...

Griffen unsere Hände sich wie Ringe; –
Küßten uns wie Brüder auf den Mund.

Harfen wurden unsere Augen,
Als sie weinten: Himmlisches Konzert.

Nun sind unsere Herzen Waisenengel.
Seine tiefgekränkte Gottheit
Ist erloschen in dem Bilde: Tierschicksale.


## DER HIRTE

Der Hirte träumt auf seinem Wiesenhügel,
Und im Palazzo ruhen Dogenhände wie die Flügel
Der teppichbuntgestickten Engelin
Im Maschenreiche Farbenspiele grün.

Und für den Dogen blüht der Hirte nur
Und seine Schafherzgarbe schmückt das weiße Haus
Viel manniginniger als alle Blumen auf der Flur,
Denn immer hauchte er sein Leben aus.

Und sitzt Paolo wie St. Marcus auf dem Thron
– Im Regenbogen lächelt süß der Friede –
Goldtönen die Apostel auf der Sonnenuhr
Und seine Stadt schwimmt fern auf seinem Liede...

Die Wolle seiner Herden kräuselte sich schon
Und lächelnd trieb der Knabe sie zur Schur
Und zungenredete von seiner sanften Prozession.

## DIE VERSUCHUNG

Aus Frühlingsblüten schleichen feuchte Düfte –
Schling deinen starken Seemannsarm um meine Hüfte.
Mein Geist hat nach dem heilgen Geist gesucht.

Und tauchte auf den Vogelgrund der Lüfte.
Und grub nach Gott in jedem Stein der Klüfte.
Und blieb nur Fleisch leibeigen und verflucht.

Ich aß im Paradies vom Gifte,
Als noch der Schöpfer durch die Meere schiffte,
Das Wasser trennte von der Bucht.

Und Alles gut fand, da Er seine Erde prüfte,
Und nicht ein Korn blieb ungebucht.

Ich schreibe diesen Vers an Ihn mit ehernem Stifte.
Mein Seelenheil zerschellt am Maste seiner Wucht.

Schling deinen starken Seemannsarm um meine Hüfte.
Ich wandte mich von Gott, da Er mich hat versucht.


## DIE ERKENNTNIS

Unaufhörlich fällt ein frischer Regen
Auf das durstige Erdreich und auf meine Haut.
Ich will mich mitten in der Welten Mitten legen,
Bevor der Mensch und auch das Tier wird laut.

Ich wachse wie das Blatt im Wassersegen
Und ehe noch der frühe Morgen graut,
Bin ich ein Wald, und Sonne säumt auf meinen Wegen,
Da ich auf ewigen Wandel mich hab aufgebaut.

So ungeklügelt, ohne zu erwägen,
Wächst gottentsprossen selbst das ärmste Wegekraut,
Nur die »Erkenntnis« liegt im menschlichen Vermögen.
Doch sie zur letzten Deutlichkeit zu pflegen –
Vermag man, wenn der Zapfen aller Überhebung taut.


## AM FERNEN ABEND

Du bist so weit von mir entfernt
Am Abend zwischen deinen Freunden;
Meist ist das Dunkel über uns entsternt...
Dann leide ich wie unter Feinden.
Doch glühen die Lichte in den Wolkenzweigen,
So sind sie alle unser Eigen.

Und manchmal kommt ganz weich die Luft
Und streichelt meine und dann deine Wange.
Und deine Stimme ist es, die mich ruft,
Aus allen Stimmen gleitend, in der Halle.
– Und mich umarmen viele Himmel in dem Schalle.

Ich finde aber auch in deinen Augen keine Rast
Und keinen Trost im stummen Zuspruch deiner Reden –
Ich fiel der Liebe und sie mir zur Last.
Mein letzter Schimmer leuchtet heim den Gast,
Ein stilles Kleinod für jedweden.

Und weiß, daß du alleine lieb mich hast ... ganz alleine.
Und bin ich dir auch unbegreiflich fast,
So sagen all die weichen Worte, daß ich weine.

WIR WELKEN längst wo angelehnt,
Am grauen Steine einer alten Mauer;
So ausgelöscht und haben uns gesehnt,
Nach einem einzigen Lichtlein in der Weltentrauer.

Wie nie auf einmal standen wir im Glanz,
Und unsere feierlichen Herzen hingegeben,
Verglühten ineinander wie im Tempeltanz.

Was soll ich weiter und auch du mit deinem Leben,
Lichtlosem Dasein, das hell brannte in die Nacht,
Jäh umgebracht –
Mit meinem funkelte noch eben...


ICH SCHLIESS DAS FENSTER ZU; erregt ist mein Gemüt...
Die junge Drossel singt der Eberesche schon ihr Liebeslied.
Die Rosenstöcke überwinterten im Moose in der Grube.
Ich litt unendlich mit den jungen Stämmen ob des grünen Raubes;
Es labt sich stürmisch wild der März und auch sein Bube
Am gärenden Smaragd des späten Laubes.
Und steckt sich frische Fröste an den Hut.
Mit einem Pfiffe kühlt er meine Stube,
Jedwedes Nest mit seiner ersten Brut.


MICH FÜHRTE IN DIE WOLKE mein Geschick –
Wir teilten säumerisch ein erdentschwertes Glück.

Ich dachte viel an Julihimmel –
Du sahst das Blau in meinem Blick.

Und schwebten mit den Vögeln auf
Ein Silberrausch...
Bevor die Welt brach das Genick.

Und auch wir beide blieben nicht verschont
– Und träumen trübe unterm bleichen Rosenstrauch im Mond
Die Lande unter uns: verblichnes Mosaik.


MEINE FREIHEIT
Soll mir niemand rauben.

Sterb ich am Wegrand wo,
Liebe Mutter,

Kommst du und hebst mich
Auf deinem Flügel zum Himmel.

Ich weiß dich rührte
Mein einsam Wandeln

Der spielende Ticktack
Meines Kinderherzens.


ICH LIEGE WO AM WEGRAND ÜBERMATTET...

Ich liege wo am Wegrand übermattet –
Und über mir die finstere, kalte Nacht,
Und zähl schon zu den Toten, längst bestattet.

Wo soll ich auch noch hin von Grauen überschattet?
– Schutzengel haben nur auf Kinder acht.
Doch glaubt ich, daß ihr Menschen lieb mich hattet.

Die ich vom Monde euch mit Liedern still bedacht,
Und weite Himmel blauvertausendfacht.
Nur weil ihr Gott zur Ehre alles tatet.

Die heilige Liebe, die ihr blind zertratet,
Ist ja Sein Ebenbild –! Ihr habt es umgebracht.
Zu dem ihr herzhinpochend einst wallfahrtet.

Darum auch lebten du und ich in einem Schacht,
Und – doch im Paradiese blumumblattet –
Und wir erlagen hold versunken schwarzer Magiermacht.

## MEIN ARMES LIED

Mein Angesicht liegt nachts auf deinen Händen
Es leuchten stille Kerzen von den Wänden
Und werfen um mich einen feierlichen Schein.
Ich will dein heiliger Widder sein
Führ mich zur Opfergabe in den Hain.

Die Welt bricht auf an allen Enden
Und an den Stöcken glüht in zarten Ampeln süßer Wein.
Und Mond und Sterne gehen auf mit meinem Herzen im Verein.
Und meine Lenden sprießen feierlich verzückt: vergessene
        goldene Legenden.

Und die Welten um mich streiten sich
Und berauschen sich am blutigen Weine.

Weißt du noch im Mondenscheine?
Du und ich –
Eh noch mein Herz verblich
Und ich deinem Herzen glich
Tausendmal und eins verklärt um dich –

Bette meine Liebe fürsorglich
Zwischen leisverpochendem Gebeine –
Müde bin ich wie der rote Rotdorn und der weiße kleine –
An der Hecke drüben und – sich mußten lieben
Und – nie fanden sich –

## ICH SCHLAFE IN DER NACHT –

Ich schlafe in der Nacht an fremden Wänden
Und wache in der Frühe auf an fremder Wand.
Ich legte mein Geschick in harten Händen
Und reihe Tränen auf, so dunkle Perlen ich nie fand.

Ich habe einmal einen blauen Pfad gekannt
Doch weiß ich nicht mehr wo ich mich vor dieser Welt befand.
Und – meine Sehnsucht will nicht enden!...

Vom Himmel her sind beide wir verwandt
Und unsere Seelen schweben übers Heilige Land
In *einem* Sternenkleide leuchtend um die Lenden.


## MIT DIR, GOLDLÄCHELNDEM

In meinem Herzen wächst ein Rosenzweig
Sein Duft berauscht so weich den Sinn.

Vernimm das Bächlein rauschendes
In meiner Grube tief im Kinn.

Und immer kommt die Nacht –
Nach ihr der Tag im kühlen Wolkenlinn'.

Springt eine Welle an den Strand
Ergreif ich sie ganz schnell mit meiner Hand.

Zu spiegeln mich – daß ich noch bin
Und du in meiner dunklen Pupill.

Dann schweben wir unmerklich still
Ins blaue Land empor beseligend traumhin –

## MAN MUSS SO MÜDE SEIN...

Man muß so müde sein wie ich es bin
Es schwindet kühl entzaubert meine Welt aus meinem Sinn
Und es zerrinnen meine Wünsche tief im Herzen.

Gejagt und wüßte auch nicht mehr wohin
Verglimmen in den Winden alle meine Kerzen
Und meine Augen werden dünn.

Es bricht mein Leib bevor ich dein noch bin
Dich lasse ich zurück, mein einziger Gewinn
Ein nicht zu teilender
Es teilen sich in dir die Nächte meiner holden Schmerzen.


## DÄNISCHER PRINZ

Ich schloß die Augenlider
Immer wieder
Und öffnete die Augen immerfort.

Ich sah Euch spielen am geheimnisvollen Ort.
Und dann im dänischen Palast.
Das Licht fiel grün und dann wie Flieder.
Ihr Hoheit gönntet Euch nach dem Erlebten keine Rast
Und fechtetet mit dem Rapier
Wie ich auch einst gefochten
Halb furchtbar und halb wie beim Spielen
Um dann die Spitze in das Herz des Anderen zu kühlen.


HÖR, GOTT, wenn du nur etwas lieb mich hast,
Send mir aus deinen lichten Reichen,
Das Licht der Liebe mir zu Gast.
Bei meiner weißen Kerze glaub ich fast,

Die Grenze der Erleuchtung zu erreichen,
Es wachsen alle Sterne hoch am Wolkenast
Und wurden strahlende Geschwister, Gott, in deinem Zeichen...
Nur unsere Erde ist verblaßt –
Und ihre Seele schreit zu dir aus Leichen.

ICH BIN SO MÜDE
Und es senken sich
Gottes Augenlider
Ewiger Friede
Über mein Herz.

Engel meiner Brüder
Heben mich
Aus dieser Welt voll Schmerz.

Ich bin so müde
Tag und Nächte trennen sich.

Ich lasse meinen Leib gehüllt in Flieder
Dem letzten Tag des März.

Ich schaue Gott im Himmelssüde...
So stirbt der Mensch und du und ich.

WIR TREIBEN durch den Ozean der Luft,
Und jedem Wind weiht jede Blume ihren Duft,
Und immer landet nur der Tod,
Wenn Gott vom Deck den Müden ruft
Nach schöpfungsaltem Urgebot.

Es wachsen bleiche Sträucher, doch sie blühen rot.
Ein Lächeln steigt aus meines Herzens Gruft.
Doch bunte Sommer sind vom Wetter schwer bedroht,
Der Mensch ahnt nichts von ihrer Not.

## MEIN STERBELIED

»Bin welk und mürbe –
Mir ist, als ob ich stürbe –
*Ja, gestorben bin.*«

Entblättert ist mein Sinn –
Das Licht meiner Augen trübe.

Der Himmel meiner Liebe
Sank in die Grube,
In mein steiles Kinn.

Es blühen in meiner Stube
Deine Lieblingsblumen zwischen Immergrün
Und meinem Rosmarin.

Doch alle beglückenden Farben
Seit meines Lebens Anbeginn
Aus meinem Leben entfliehn,

Die mich ganz bunt umwarben –
Starben...

Um mit dem Wolkenbild
In die Himmlischkeit zu ziehn.

## DÄMMERUNG

Ich halte meine Augen halb geschlossen
Graumütig ist mein Herz und wolkenreich
Ich suche eine Hand der meinen gleich
Mich hat das Leben, ich hab es verstoßen
Und lebe angstvoll nun im Übergroßen
Im irdischen Leibe schon im Himmelreich.
Und in der Frühe war ich blütenreich
Und über Nacht froh aufgeschossen
Vom Zauber eines Traumes übergossen –
Nun färben meine Wangen meine Spiegel bleich.

FLEISSIG WIE EIN BIENENSCHWARM
Schreibt die Hand an meinem Arm
Schon in aller Tagesfrühe


Es WAR ein Frühling
Den ich feierlich empfing
Bis dahin führte ich
Ein betusam Leben


ICH BIN so traurig übers Maß
Die ich einst auf den Zweigen saß
Des frohen Liedes voll –


ICH WOLLTE wir lägen an einer Bucht
Wo sich die Wellen zwängen durch steinerne Spalten
Noch unerlöst und unversucht.

Du unsere Liebe ist am Erkalten
Glühend erhalten blieb nur
Sie konnte im Frühling sich nicht entfalten


ICH FRIERE
Und halte mich vor deiner Türe
In Schneegedanken wie ein Greis
In der Erinnerung Eis
Es [frieren] meine Glieder

DIE TRÄNE, die du beim Gebete weinst,
Verklärt dein Angesicht
Und hebt es bis zu Gott
Doch dein Lächeln
Pflückt sich ein Engel aus den Winkeln deines Mundes


O GOTT, ich bin so müde.
Von Augenlid zu Augenlide
Schwimmt mein Gedanke hin.
Und bin nicht wo ich bin,
Das Lied in der Etüde,
Das stille Blau im Sinn –
Nimm von mir all Gewinn
Und kommt einmal der Friede...


DIE DÄMMERUNG holt die Sichel aus der Dunkelheit
Und steckt sie mir ans Wolkenkleid
Ich bin die Nacht
Verletz dich nicht an mir gib acht
Noch hat der Hirt die goldenen Lämmer nicht gebracht


DIE MICH HASSEN
Die mich lieben
Durch Straßen und durch Gassen
Zusammen mit dem Lasttier ruhelos getrieben
Von Herz zu Herz
Von dir durch mutwilliges Verschieben
Durch Schmerz und Schmerz
Mich im Liebesweh zu üben
O in der Dämmerstunde meiner Traurigkeit – – –
Ich fahr allein, denn war bereit
Mein Ziel noch hinter Mond und Ewigkeit

AM FREITAGABEND brennt das Licht
Und welches aufsteigt in die Himmel
Gott übersieht die kleinste Kerze nicht

Ich falte meine Hände in der Abendstunde
Und auch dasselbe höre ich aus aller Juden Judenmunde
Die wir am Freitagabend knieen vor den Kerzen:
Erbarm dich, lieber Vater, und erweiche ihre Herzen.
Mein Leib und meine Seele sollen weiter fasten.


EIN EINZIGER MENSCH ist oft ein ganzes Volk
Doch jeder eine Welt
Mit einem Himmelreich wenn
Er der Eigenschaften uredelste pflegt:
Gott
Gott aufsprießen läßt in sich
Gott will nicht begossen sein
Mit Blut.
Wer seinen Nächsten tötet
Tötet im Herzen aufkeimend Gott
Wir können nicht mehr schlafen in den Nächten
Wir bangen mit den


O GOTT, wie soll dich meine Klage rühren,
Da alle Menschen auf der Erde fast
In ihren Herzen tragen ihre tiefe Last
Und Kinder hungern hinter allen Türen.
Darum auch sollen meine Lippen schweigen.
Die Not ist groß. Ich weiß –

# THEBEN – GEDICHTE UND LITHOGRAPHIEN

Das Faksimile des Buches ›Theben‹ wurde nach einem Exemplar der unkolorierten Ausgabe reproduziert, das uns freundlicherweise von Frau Edda Lindwurm-Lindner zur Verfügung gestellt wurde. Die Originalausgabe im Format 24,5 × 32 cm (Buchblock) wurde auf leicht gelbliches Maschinenbütten gedruckt und als Blockbuch in blaues Leinen mit einem Bastband gebunden. Die Vorderseite des Einbandes schmückt eine Goldprägung mit der verkleinerten Wiedergabe der Zeichnung »Der Bund der wilden Juden«.

Paolo Pedrazzini
dem Dogen von Locarno

Else Lasker = Schüler

# Theben

Gedichte und Lithographieen

Querschnitt = Verlag
Frankfurt a/M = Berlin
1923

## Gebot

Ich suche allerlanden eine Stadt,
Die einen Engel vor der Pforte hat.
Ich trage seinen großen Flügel
Gebrochen schwer am Schulterblatt
Und in der Stirne seinen Stern als Siegel.

Und wandle immer in die Nacht.....
Ich habe Liebe in die Welt gebracht! –
Daß blau zu blühen jedes Herz vermag,
Und hab ein Leben müde mich gewacht,
In Gott gehüllt den düstern Atemschlag.

O Gott, schließ um mich deinen Mantel fest.
Ich weiß, ich bin im Kugelglas der Rest.
Und wenn der letzte Mensch die Welt verläßt,
Du mich nicht wieder aus der Allmacht läßt,
Und sich ein neuer Erdball um mich schließt.

# Meine Mutter

War sie der große Engel,
Der neben mir ging?

Oder liegt meine Mutter begraben
Unter dem Himmel von Rauch —
Nie blüht es blau über ihrem Tode.

Wenn meine Augen doch hell schienen
Und ihr Licht brächten.

Wäre mein Lächeln nicht versunken
im Antlitz,
Ich würde es über ihr Grab hängen.

Aber ich weiß einen Stern,
Auf dem immer Tag ist,
Den will ich über ihre Erde tragen.

Ich werde jetzt immer ganz allein sein
Wie der große Engel,
Der neben mir ging.

Jussuf modelliert seine Mutter

## Versöhnung

Es wird ein großer Stern in meinen Schoß fallen...
Wir wollen wachen die Nacht,

In den Sprachen beten,
Die wie Harfen eingeschnitten sind.

Wir wollen uns versöhnen die Nacht —
So viel Gott strömt über.

Kinder sind unsere Herzen,
Sie möchten ruhen müdesüß.

Und unsere Lippen wollen sich küssen,
Was zagst du?

Grenzt nicht mein Herz an deins —
Immer färbt dein Blut meine Wangen
rot.

Wir wollen uns versöhnen die Nacht,
Wenn wir uns herzen, sterben wir nicht.

Es wird ein großer Stern in meinen Schoß
fallen.

# Mein Volk

Der Fels wird morsch
Dem ich entspringe
Und meine Gotteslieder singe....
Jäh stürz ich vom Weg
Und riesele ganz in mir
fernab, allein über Klagestein
Dem Meer zu.

Hab mich so abgeströmt
Von meines Blutes
Mostvergorenheit.
Und immer, immer noch der Widerhall
In mir,
Wenn schauerlich gen Ost
Das morsche Felsgebein,
Mein Volk,
Zu Gott schreit!

*Imre trägt die heilig goldene Schlange*

Der Bund
des wilden Juden

# Senna Hoy
### (Sascha.)

Seit du begraben liegst auf dem Hügel,
Ist die Erde süß.

Wo ich hingehe nun auf Zehen,
Wandele ich über reine Wege.

O deines Blutes Rosen
Durchtränken sanft den Tod.

Ich habe keine Furcht mehr
Vor dem Sterben.

Auf deinem Grabe blühe ich schon
Mit den Blumen der Schlingpflanzen.

Deine Lippen haben mich immer gerufen,
Nun weiß mein Name nicht mehr zurück.

Jede Schaufel Erde, die dich barg,
Verschüttete auch mich.

Darum ist immer Nacht an mir,
Und Sterne schon in der Dämmerung.

Und ich bin unbegreiflich unseren Freunden
Und ganz fremd geworden.
Aber du stehst am Tor der stillsten Stadt
Und wartest auf mich, du Großengel.

# Marie von Nazareth.

Träume säume, Marienmädchen —
Überall löscht des Rosenwind
Die schwarzen Sterne aus.
Wiege im Arme dein Seelchen.


Alle Kinder kommen auf Lämmern
Zottchotte geritten
Gottlingehen sehen

Und die vielen Schimmerblümen
An den Hecken
Und die großen Himmel da
Im Kurzen Blaukleide!

Mariëe

# Ein alter Tibetteppich

Deine Seele, die die meine liebet
Ist verwirkt mit ihr im Teppichtibet.

Strahl in Strahl verliebte Farben,
Sterne, die sich himmellang umwarben.

Unsere Füße ruhen auf der Kostbarkeit,
Maschentausendabertausendweit.

Süßer Lamasohn auf Moschuspflanzenthron,
Wie lange küßt dein Mund den meinen
Und Wang die Wange buntgeknüpfte wohl
Zeiten schon.

Ein Lied

Hinter meinen Augen stehen Wasser,
Die muß ich alle weinen.

Immer möcht ich auffliegen,
mit den Zugvögel fort!

Buntatmen mit den Winden
In der großen Luft.

O ich bin so traurig – –
Das Gesicht im Mond weiß es.

Drum ist viel samtene Andacht
Und nahender Frühmorgen um mich.

Als an deinem steinernen Herzen
Meine Flügel brachen,

fielen die Amseln wie Trauerrosen
Hoch vom blauen Gebüsch.

Alles verhaltene Gezwitscher
Will wieder jubeln!!

Und ich möchte auffliegen
mit den Zugvögel, fort!!

Heinrich geht mit seinem
Strauß spazieren

# Joseph wird verkauft.

Die Winde spielten müde mit den Palmen noch.
So dunkel war es schon um Mittag in der Wüste,
Und Joseph sah den Engel nicht, der ihn vom Himmel grüßte,
Und weinte da er für des Vaters Liebe büßte,
Und suchte' nach dem Cocos seines schattigen Herzens doch.

Der bunte Brüderschwarm zog wieder nach Hebron
Und er bereute seine schwere Untat schon,
Und auf dem Sandweg fiel der schnöde Silberlohn.
Die fremden Männer aber ketteten des Jakobssohn,
Bis ihm die Hände drohten mit dem Eisen zu verrosten.

So oft sprach Jakob inbrünstig zu seinem Herrn
Sie trugen gleiche Bärte Schaum vor einer Eselin
Und Joseph glaubte jedesmal sein Vater blicke gewollten aus der sollten...
Und eilte über heilige Bergeshöhn, ihm nachzufolgen—
—Bis er dann ratlos einschlief unter einem Stern.

Die Käufer lauschten dem entrückten Knaben.
Des Vaters Andacht atmete aus seinem Haare,
Und sie entfesselten die edelblütige Waare,
Und drängten sich zu tragen, Canaans Prophet in einer
Wie die behürdeten Kameele durch den Sand zu traben! Bahre.

Ägypten, glänzte feierlich in goldenen Mantelfarben,
Da dieses Jahr die Ernte auf den Salbtag fiel.
Die kleine Karawane, endlich nahte sie dem Ziel.
Sie trugen Joseph in das Haus des Potiphars am
In seinem Träume hingen aller Deutung Garben. Nil.

# Gott hör....

Um meine Augen zieht die Nacht sich
Wie ein Ring zusammen:
Mein Puls verwandelte das Blut in flammen
Und doch war alles grau und kalt um
                                    mich.

O Gott und bei lebendigem Tage
Träum ich vom Tod.
Im Wasser trink ich ihn und würze ihn
                          im Brot.
für meine Traurigkeit fehlt jedes Maß
                auf deiner Waage.

Gott hör in deiner blauen Lieblingsfarbe,
Sang ich das Lied von deines Himmels
                              Dach.
Und würde doch für deinen ewigen Hauch
                              zu wach.
Mein Herz schämt sich vor dir fast einer
                    tauben Narbe.

Wo ende ich - o Gott! Denn in die Ferne,
auch in den Mond sah ich in alle deiner
                      früchte Thal.
Der rote Wein wird schon in seiner Beere schaal
Und überall die Bitterniß in jedem Kerne.

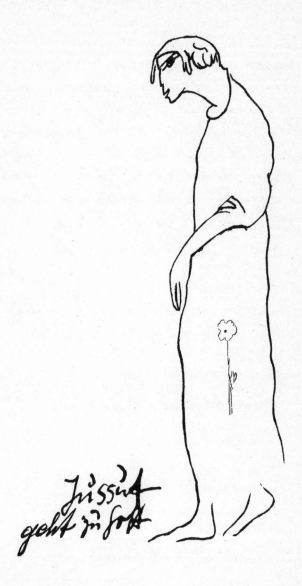

Ich schrieb die Verse dieses Buches und
zeichnete die Bilder dazu auf den Stein
bei A. Rückenbrod in Berlin, der das Buch
in 250 Exemplaren für die Querschnitt=
Verlags Aktiengesellschaft in Frankfurt
am Main druckte. Die Zeichnungen
der ersten 50 Bücher colorierte ich mit
der Hand. Das Buch erscheint als
24. Flechtheim Druck.


Dieses Buch trägt die Nummer

58


Else Lasker-Schüler

# ANHANG

»Ich bin in Theben (Ägypten) geboren, wenn ich auch in Elberfeld zur Welt kam im Rheinland. Ich ging bis 11 Jahre zur Schule, wurde Robinson, lebte fünf Jahre im Morgenlande, und seitdem vegetiere ich.« Das ist der Lebenslauf, den Else Lasker-Schüler 1920 Kurt Pinthus für seine expressionistische Anthologie »Menschheitsdämmerung« lieferte. Es sind sehr kärgliche Nachrichten, die hier bekanntgegeben werden, und bezeichnend für die Scheu der Dichterin, konkret Biographisches über ihre Person auszusagen. Sie war bemüht, die realen Daten und Fakten ihrer Vita entweder gänzlich zu verschweigen oder sie in einer grandiosen Poetisierung und Selbststilisierung auf eine Ebene zu heben, auf der die Frage nach jeglicher Dokumentation nicht mehr legitim erscheint. Das orientalische, das biblische Kostüm, das Else Lasker-Schüler ihrem Leben überwarf, sollte schließlich ein Dasein der Armut und Einsamkeit verhüllen, in dem der Mensch nur noch »vegetieren« kann. Freilich war auch dies übertrieben, denn kraft der Phantasie und der daraus sich formenden Dichtung konnte Else Lasker-Schüler seelisch überstehen. Ihre Rettung war die Flucht in das großartige Spiel ihrer Imagination, die Verwandlung ihrer empirischen Person in eine Art Inkarnation der Poesie. Die Bestandteile ihres Wesens – große Frömmigkeit und Demut, Sehnsucht nach Liebe und Geborgensein, Todesverlangen und Angst, Lebenslust und Verzweiflung, Hilfsbereitschaft und Trotz, ein impulsives Temperament, ein unerschöpflicher Humor, ein unaufhörlicher Drang nach Freiheit und Abenteuer, Kindlichkeit und naives Vertrauen, ein ewiges Ungenügen an den Gegebenheiten der Realität – riefen einen Wirbel von Erlebnismöglichkeiten und Reaktionen hervor, der alle festen und berechenbaren Maßstäbe mit sich fortriß. Else Lasker-Schüler schuf sich ihre eigenen Maßstäbe, ihnen unterwarf sie die Darstellung ihrer Vergangenheit und die Gestaltung ihrer Gegenwart. Leben und Poesie wurden für sie eins. Die immer wieder aufbrechenden Abgründe zwischen beiden Bereichen aber ließen sich nicht überspringen und machten die Leiden und Wirren dieses Dichterdaseins aus.

Else Lasker-Schüler hat in ihren Büchern viel geschrieben über Vorfahren, Kindheit, Elternhaus und Jugendgefährten, einiges über ihr Poetenleben in Berlin. Alles aber steht unter dem Aspekt ihrer künstlerischen Berufung und imaginären Regentschaft über das poetische Märchenland Theben, und die Grenze zwischen Wahrheit und Erfindung ist nur sehr

schwer zu ziehen. Manches gibt sich biographisch, ohne es zu sein. Es ist mehrfach versucht worden, ein Lebensbild Else Lasker-Schülers zu entwerfen, und soll hier noch einmal geschehen. Die meisten Lebensdarstellungen schlossen unmittelbar von den Selbstaussagen auf den tatsächlichen Lebensverlauf; erst Karl Josef Höltgen, Astrid Gehlhoff-Claes und vor allem Wolfgang Springmann griffen auf gesicherte Dokumente zurück. Dank der freundlichen Mitarbeit der Nichte Else Lasker-Schülers, Frau Edda Lindwurm-Lindner, konnte neues biographisches Material zusammengestellt werden, auf das sich dieses Lebensbild stützt. Das Material betrifft vor allem die Vorfahren der Dichterin und die Lebensumstände der frühen Berliner Zeit, über die bislang am wenigsten bekannt war.

In dem Erinnerungsbuch von Heinrich Simon: »Leopold Sonnemann, Seine Jugendgeschichte bis zur Entstehung der Frankfurter Zeitung« (Privatdruck 1931), sind wichtige Nachrichten über Else Lasker-Schülers Vorfahren enthalten. Leopold Sonnemann, der Begründer der Frankfurter Zeitung, wurde in Höchberg bei Würzburg geboren. Seine Mutter Therese war eine geborene Kopp aus Höchberg, die 1828 Meyer Sonnemann, Textilkaufmann seines Zeichens, heiratete. Leopold Sonnemann wuchs zusammen mit seiner Schwester Johanna und seiner Kusine Jeanette auf. Diese war als zweijährige Waise in das Haus Sonnemann aufgenommen worden. Ihre Eltern, Jacob Kissing, Weinbergbesitzer und Weinhändler aus Bad Kissingen, und Johanna Kissing, geborene Kopp, waren fast gleichzeitig an einer Pockenepidemie gestorben.

Die Aufzeichnungen Leopold Sonnemanns sind ein eindrucksvolles Zeugnis für den Werdegang eines außerordentlich strebsamen, gewissenhaften und religiösen Menschen. Er begann seine Laufbahn im Geschäft seines Vaters, das er nach dessen Tod übernahm. Nachdem die Familie nach Offenbach und später nach Frankfurt übergesiedelt war, hielt sich der junge Sonnemann häufig auf Geschäftsreisen in Würzburg und Leipzig auf. 1853 lernte er auf einer solchen Reise Julius Schüler aus Geseke bei Paderborn kennen: »Der junge Mann gefiel mir durch sein offenes, freimütiges Wesen und durch seine vielfache Geschäftserfahrung. Ich schloß mich ihm an, und wir sahen uns öfters auf der Messe in Leipzig. Sein Vater betrieb in Geseke ein Bank- und Warengeschäft und war mit einem reichen Kindersegen beglückt. Im Frühsommer 1853 machte ich der Familie in Geseke einen Besuch...« (S. 137) »Der alte Schüler war mehr als nur ein tüchtiger Kaufmann; er hatte es, trotz zahlreicher Kinder und

Kindeskinder, zu Geld und Ansehen gebracht.« (S. 137) »Der Geist des Schülerschen Hauses muß ein wenig Ähnlichkeit mit dem des väterlichen Hauses von Sonnemanns Mutter, dem Haus des alten Kopp in Höchberg, gehabt haben. Die Schülers bildeten den geselligen Mittelpunkt der ganzen Gegend, das Haus war von aufgeklärten, für die kleinstädtischen Verhältnisse erstaunlich wenig kleinstädtischen Menschen bewohnt. Die alte wie die junge Generation war in vieler Beziehung interessiert, die junge zum Teil in guten Instituten erzogen...« (S. 138) Sonnemann trat mit Julius und seinen Brüdern in geschäftliche Verbindung, stellte seinen Warenhandel ein und konzentrierte sich ganz auf das Bankwesen, worin die Brüder Schüler bereits gute Kenntnisse hatten. An verschiedenen Orten entstanden Bankfilialen, so auch die Bank Aron Schüler in Elberfeld.

Über das Schülersche Haus in Geseke gab es aber noch anderes zu berichten: »Rosa Schüler, eine der beiden noch unverheirateten Töchter, war ein anmutiges Mädchen, temperamentvoll, ein wenig kapriziös, geistig regsam, originell in ihrer Ausdrucksweise... Sie war vollendet natürlich, sehr offen, in dieser Hinsicht geradezu ein wenig *enfant terrible* im liebenswerten Sinne des Wortes.« (S. 138) Rosa Schüler wurde Leopold Sonnemanns Frau. Die Familienbande wurden dann noch fester geknüpft, als Julius Schüler Leopolds Schwester Johanna heiratete.

Und Jeanette? Sie soll nach Familienberichten ein auffallend schönes und bezauberndes Mädchen gewesen sein. Aron Schüler lernte sie auf der Hochzeit seiner Schwester kennen (1854). Drei Jahre später wurde im Amtsblatt der Freien Stadt Frankfurt, Nr. 117, vom 29. September 1857, in Goldschrift das Aufgebot gedruckt: »September, 26. Schüler, Aron, Bürger und Kaufmann zu Elberfeld im Königreich Preußen, mit Kissing, Jeanette, aus Kissingen im Königreich Bayern.«

Das sind die Eltern der Dichterin Else Lasker-Schüler.

Im Familienbesitz haben sich eine Reihe von Briefen Aron Schülers an Jeanette als Braut und junge Ehefrau erhalten. »Mein Bräutchen«, »Mein geliebtes Jeanettchen«, »Goldenes Frauchen« beginnen sie in einer großzügigen, ornamentalen Schrift. Sie berichten von den Hochzeitsvorbereitungen, der Einrichtung eines Hauses für die junge Frau und sprechen unaufhörlich von der Sorge um Jeanettes Gesundheit und Heiterkeit des Gemüts. »Eben bekomme Dein Briefchen, worin Du anfrägst ob mir auch Deine Briefe lieb sind, Jeanett solche Fragen verbitte mir, ein Beweis daß Du mich doch nicht so liebst, wie ich Dich, mein Gott, wie kommst

Du auf solche Idee, Tag täglich 50 Briefe, keine größere Freude könntest Du mir machen... Du jammerst nach mir, ach du lieber Gott, längst so nicht wie ich nach Dir...« (10. 7. 1857) »...ich bin Dir treu, ewig treu, küße Dich oft in Gedanken, denke nur wenn mein Bräutchen nur zufrieden mit mir ist, könntest du doch erst ein Palais für sie bauen lassen, ach so denke immer.« (27. 7. 1857)

Aron und Jeanette Schüler hatten sechs Kinder. 1858 wurde Alfred Jacob geboren, 1859 Maximilian Moritz, 1861 Paul Karl, 1862 Martha Therese, 1863 Anna; am 11. Februar 1869 Elisabeth.

Das ist die Dichterin Else Lasker-Schüler.

Nachzuholen ist: Jeanettes Vorfahren väterlicherseits stammten aus Spanien. Pablo von Elkan mußte bei einem Pogrom aus Madrid fliehen, nahm den Namen Kissing an und ließ sich in Bad Kissingen nieder. Es gab ein Testament, an Jeanette gerichtet, von dem Erblasser Elkan von Elkansberg aus Wien. Es ging verloren. »Mein Urgroßvater liebmütterlicherseits, spanischer Jude, Großkaufmann, Pablo von Elkan, Vater des Vaters meiner jungverwaisten teuren Mutter. Der übersiedelte unter dem in England angenommenen Namen Kissing nach Süddeutschland und pflanzte auf den Bergen: Wein. Nahm sich eine Dichterin, die wunderschöne Johanna Kopp, die Tochter einer angesehenen bayrischen Judenfamilie zur Frau«, berichtet Else Lasker-Schüler (*Ich räume auf*, S. 22). Es ist ungewiß, ob Johanna Kopp wirklich gedichtet hat, sie soll sich aber durch eine besondere Kunst des Briefeschreibens ausgezeichnet haben.

Arons Vorfahren sind zurückzuverfolgen bis zu seinem Großvater müt-

terlicherseits, dem Rabbiner Hirsch-Cohen, der laut Familienüberlieferung Oberrabbiner von Rheinland und Westfalen gewesen ist. Er soll ein sehr kluger und weiser Mann gewesen sein, zu dem die Juden von weither kamen, um sich Rat zu holen. Ein Gemälde, das ihn darstellte, ist in der Hitlerzeit verlorengegangen. »Mich besternend betrachtete ich als Kind so gerne das ehrfurchtsvolle künstlerische Priesterantlitz meines Urgroß-vaters, der Oberrabbuni vom Rheinland und Westfalen in religiösem und politischem Heile seiner Gemeinde Oberhaupt, so weihevolle Jahre Frieden brachte.« (*Ich räume auf*, S. 22)

Sein Schwiegersohn war der Kaufmann Moises Schüler, der zuerst mit Rosa Cohen, dann nach deren Tod 1833 mit Netchen Cohen verheiratet war und aus diesen beiden Ehen dreiundzwanzig Kinder hatte, von denen achtzehn nachweislich am Leben blieben. In ihrem Schauspiel *Arthur Aronymus*, in der gleichnamigen Erzählung und in den Erinnerungs-berichten in *Konzert* verklärt Else Lasker-Schüler die Kindheit ihres Va-ters, des vierten Bruders in dieser Kinderschar, bis zur liebevollen und ehrfurchtgebietenden Legende.

Aron und Jeanette Schüler waren wohlhabend und führten in der Sa-dowastraße in Elberfeld ein gutbürgerliches Haus. Sie waren literarisch interessiert und veranstalteten regelmäßige Lesezirkel. Jeanette war eine Goethe-Verehrerin und soll selbst gedichtet haben. Eine stille, sanfte, schwermütig veranlagte Frau. »Sie ging immer verschleiert; niemand war ihrer Schönheit und Hoheit wert... Mein Herz blüht auf, wenn ich an meine Mutter denke.« (*Der Malik*, S. 22) Aron Schüler hatte einen unbändigen Lebensdrang und war eine stadtbekannte Persönlichkeit wegen seines schelmischen Humors. »Mein Vater war der ausgelassenste Mensch gewesen, den ich je im Leben kennengelernt habe, einen Schelm hatte er immer wo auf dem Polster seines roten Herzens sitzen.« (*Kon-zert*, S. 270)

In den Erinnerungen der Dichterin an ihre Kindheit ersteht ihr Eltern-haus lebendig vor den Augen des Lesers, und in der Übermittlung jener heimatlichen Atmosphäre darf man den Erzählungen gewiß trauen. Kleine Alltagserlebnisse, Spaziergänge, religiöse Feste und Maskenbälle werden geschildert und immer wieder die glückliche Geborgenheit des Nesthäkchens, das seinen Papa als Spielgefährten empfindet (»wir zwei Kinder, mein Vater und ich«) und sich selbst noch als unabgelösten Teil der schwärmerisch geliebten Mutter. »Ja, meine Geschwister waren alle schön, ähnelten meinen Eltern, und ich konnte das wohl beurteilen, als

kleiner, noch ungetrennter Ableger meiner Mutter, die mit mir ihre großen Kinder heimlich bewunderte.« (*Konzert*, S. 268)
Zu ihrem ältesten Bruder fand die kleine Elisabeth kein rechtes geschwi-
sterliches Verhältnis, um so mehr aber zu ihrem jüngsten Bruder. Paul
Schüler war ein sehr frommer, geduldiger und phantasiebegabter Mensch,
der großen Einfluß auf die seelische Entwicklung seiner Schwester hatte.
Er wollte zum Katholizismus übertreten. Vor seiner Taufe starb er, mit
einundzwanzig Jahren. »Eines Tages im Winter am Sonntag starb mein
Bruder. Genau wie er zu unserer teuren Mutter gesagt hatte – am Sonntag. Ein Heiligenschein lag um seine Sonnenhaare – er lächelte, er war
reinen Herzens gewesen und schaute den lieben Gott.« (*Konzert*, S. 38)
Else Lasker-Schülers Kinderzeit wurde schon durch kleine, kindliche Ju-
denverfolgungen getrübt. »›Hepp, hepp‹, riefen die lutherischen Kinder,
bis die katholischen kleinen Mädchen es ihnen nachahmten. ›Hepp, hepp‹,
erklärte mir der gute mitleidige Herr Kaplan, heiße nur ›Jerusalem ist
verloren‹.« (*Konzert*, S. 221 f.) Auch ihre Schwester Anna konnte zeit
ihres Lebens die gehässigen Spottverse nicht vergessen, die den jüdischen
Kindern nachgerufen wurden. Schon als Kind war Else Lasker-Schüler
sehr fromm und machte sich eine **phantastische** Vorstellung von Jerusa-

lem, nach dem sie sich sehnte. Sie murmelte des Abends stundenlang
Gebete; wurde sie zum Schlafen ermahnt, so weinte sie über die Störung
und fing von neuem an.

Daß Else Lasker-Schüler keine begeisterte Schülerin gewesen ist, wie sie
erzählt, und nur Freude am Religionsunterricht hatte, in dem sie die
biblischen Geschichten weiterspinnen konnte, will man ihr gerne glauben. Ihr lebhaftes Temperament und ihre Neigung zu Träumereien standen der Konzentration und dem Lerneifer im Wege. Mit elf Jahren erkrankte sie sehr heftig am Veitstanz. Der Schulbesuch wurde eingestellt,
eine Erzieherin kam ins Haus.

1890 starb Jeanette, 1897 Aron Schüler. Das Haus in der Sadowastraße
blieb noch bis 1906 im Besitz von Moritz Schüler.

Else heiratete den Berliner Arzt Dr. Jonathan Berthold Barnett Lasker,
den Bruder des Weltschachmeisters Emanuel Lasker, Anna den Opern-
sänger Franz Lindwurm, genannt Lindner. Annas Hochzeit fand 1893
statt, das Datum der Laskerschen Hochzeit ist nicht genau bekannt. Aus
Briefen Leopold Sonnemanns geht hervor, daß die Verlobung Ende des
Jahres 1893 geschah; ein Brief Aron Schülers vom 20. 2. 1894 an seine
Tochter Anna schildert Else als junge Ehefrau. Sie wohnte in Berlin und

hatte in der Brückenallee im Tiergarten ein Atelier, wovon noch Fotografien existieren. Denn die Dichterin Else Lasker-Schüler begann ihre künstlerische Laufbahn als Malerin. Sie berichtet, daß sie schon als Kind »kleine Bildchen« malte. Diese und die Bilder ihrer frühen Berliner Zeit sind nicht erhalten, doch geben die vielen, bisweilen handkolorierten Illustrationen zu ihren Büchern, manche Einzelblätter in Museen und Privatbesitz sowie die zahlreichen Zeichnungen auf Gedichtmanuskripten und Briefen Zeugnis von ihrer bildnerischen Begabung. Daß sie Vers und Bild als gleichrangig und einander ergänzend betrachtete, zeigt am schönsten das Gedichtbuch Theben (1923), dessen verkleinertes Faksimile diesem Bande beigegeben ist.

Am 24. September 1899 wurde ihr Sohn Paul geboren. Sie gab ihm den Namen ihres Lieblingsbruders. »Eine Puppe! Sie sind Alle entzückt. Wie Papa und Paul. Blond. Mündchen und Puppennäschen.« (an Anna, 1. 2. 1900) Das Kind erregte Aufsehen durch seine außergewöhnliche Begabung im Zeichnen. Lange nach seinem Tode erschien 1937 in der Zeitschrift für Kinderpsychiatrie ein Aufsatz über Paul von Franziska Baumgarten-Tramer: »Supranormales Zeichnen eines Kindes«. Paul wurde in der Odenwaldschule erzogen. Er wurde Mitarbeiter am »Simplizissimus«, Franz Marc wollte ihn fördern, seine Bilder wurden in Ausstellungen gezeigt. In einem Zürcher Zeitungsausschnitt unbekannten Datums heißt es: »Suchen wir nach dem Persönlichen in der Vielfalt der erprobten Möglichkeiten, so entdecken wir – die Mutter, Else Lasker-Schüler. Es ist die dichterische Ader, die all seinen Bildern die persönlichsten Impulse gab... er wahrt sich stets das Menschliche, das sich abmüht und sich quält um der Menschlichkeit willen. Aus diesem Bestreben entfalten sich in seiner Kunst zwei Entwicklungslinien: die eine sucht der Liebe zu allem Menschlichen immer wieder neue Gestalt abzugewinnen, die andere verzehrt sich im Schmerz über das Unmenschliche, über das tierisch Lärmende – ein Schmerz, der bald mitleidvoll sich hineinfühlt in die Seelennot, in die Seelenarmut, bald mit unduldsam hingesäbelten Linien den Untermenschen zerfetzt, bis nur noch die Grimasse seiner Karikatur zurückbleibt.« Else Lasker-Schüler hing mit großer Liebe an ihrem Sohn und hat viel in ihren Büchern über ihn geschrieben. Er erkrankte an Tuberkulose, wurde ins Sanatorium in Agra gebracht, seine Mutter blieb in Lugano, um ihm nahe zu sein; man brachte ihn nach Davos, schließlich zurück nach Berlin, wo er im Atelier des Bildhauers Jussuf Abbu im Tiergarten starb. Das war 1927.

1900 oder 1901 endete die Ehe mit Berthold Lasker. Else Lasker-Schüler ging eine neue Verbindung ein, mit Georg Levin, dem Kunstschriftsteller, Redakteur und Komponisten. Sie nannte ihn Herwarth Walden. Er war neun Jahre jünger als sie. Darum gab sie ihr Geburtsdatum nun mit 1876 an. Die Ehe dauerte etwa zehn oder elf Jahre und wurde zuerst geheimgehalten. In Briefen spricht Herwarth Walden selbst zu Verwandten von seiner Frau nur als von »Frau Doktor«. Erst 1903 gaben beide die Ehe bekannt. Die Trauung soll in London vollzogen worden sein. Das Ehepaar Walden wechselte innerhalb Berlins häufig die Wohnungen (Halensee und Grunewald). Nach ihrer Scheidung von Walden hatte Else Lasker-Schüler nie wieder eine eigene Wohnung, sondern lebte nur in Hotels und Pensionen, in Berlin im Hotel Koschel (Sachsenhof) in der Motzstraße am Nollendorfplatz.

Etwa zur Zeit ihrer zweiten Scheidung (1912) starb ihre Schwester Anna, die ihr sehr nah gestanden hatte. Else Lasker-Schüler nahm sich ihrer Nichten Edda und Erika an; sie waren die einzigen Verwandten, mit denen die Dichterin bis zu ihrer Emigration näheren Umgang hatte. Viele Widmungen ihrer Gedichte und Bücher und die zahlreichen Erinnerungen an ihre Kinderjahre lassen zwar auf eine innerlich unlösbare Bindung an Vergangenheit und Familie schließen, dennoch hatte Else Lasker-Schüler mit dem Fortgang aus Elberfeld alle Bürgerlichkeit des alten Jahrhunderts abgeworfen und sich einem völlig ungesicherten und ungebundenen Leben überlassen. Sie schloß sich zuerst Peter Hille an, dem »Erzpoeten, Erzwaller, Erzpriester und Erzzecher«, der 1904 starb

Der Fakir

und den sie in ihrem »Peter Hille-Buch« verherrlicht hat. Der Jugendstil, die Frauenbewegung, die Ablehnung der konventionellen Kunst bereiteten den Grund für die frühen Gedichte Else Lasker-Schülers, die ab 1899 in den Zeitschriften »Die Gesellschaft« und »Das Magazin für Litteratur« veröffentlicht wurden und 1902 als ihr erstes Gedichtbuch unter dem Titel »Styx« erschienen, von fortschrittlichen Blättern als genial gepriesen, von konservativen als geschmacklos geschmäht.

1903 gründete Walden den »Verein für Kunst«, 1910 die Zeitschrift »Der Sturm«. Die hohe Zeit des Expressionismus brach an; und damit für Else Lasker-Schüler die Zeit ihrer zahlreichen Dichter- und Künstlerfreundschaften. In den zuerst im »Sturm« abgedruckten »Briefen nach Norwegen«, die später als *Mein Herz* in Buchform herauskamen, schildert sie das literarische Leben Berlins, das sich im Café des Westens und im Romanischen Café abspielte. Tilla Durieux berichtet (»Eine Tür steht offen«, Hamburg 1954, S. 65): »Im Café des Westens, dem Sammelplatz der talentierten und untalentierten Boheme, konnte man die merkwürdigsten Erscheinungen sehen. Männer mit langen Haaren und Mädchen in eigenartiger Kleidung saßen hier stundenlang bei einer Schale schwarzen Kaffees. Unter ihnen sah man die Auffallendste: Else Lasker-Schüler. Sie war unbestreitbar ein großes Talent und illustrierte ihre Geschichten und Gedichte in ungewöhnlicher Weise... Else war klein und schmächtig, von knabenhafter Gestalt mit kurzgeschnittenem Haar, was damals sehr auffallend wirkte. Ihr Mann trug hingegen langwallendes blondes Haar. Else, ewig verliebt, schrieb ihre merkwürdigen Gedichte, in denen sie die jeweils Erkorenen zu Göttern erhob und ihnen eine Rose oder einen Stern auf die recht ähnlich gezeichneten Köpfe malte.«

Die »ewig verliebte« Else Lasker-Schüler schrieb ihre Liebesgedichte, die 1917 als Zyklen zusammengefaßt in den *Gesammelten Gedichten* erschienen, für Gottfried Benn (Giselheer den Barbaren), Georg Trakl (den Ritter aus Gold), Franz Werfel (den Prinzen von Prag), Hans Ehrenbaum-Degele (den Prinzen Tristan), Hans Adalbert von Maltzahn (den Herzog von Leipzig) und Johannes Holzmann, dessen Vornamen sie zu »Senna Hoy« umkehrte und den sie auch Sascha, den Prinzen von Moskau, nannte. Ernst Toller, Erich Mühsam, Helmut und Wieland Herzfelde, George Grosz, Oskar Kokoschka, Alfred Loos, Ludwig von Ficker, Albert Ehrenstein, Paul Zech, Peter Baum, Richard Dehmel, Theodor Däubler zählte sie zu ihren Freunden, mit denen sie ausgedehnte – zum Teil erhaltene, zum Teil verlorene – Korrespondenzen führte. Fast allen ihren

(Giselheer)

Freunden schenkte die Dichterin neue Namen und nahm sie als Bürger ihres neugegründeten Phantasiereichs Theben auf, über das sie als »Prinz Jussuf« herrschte. Die Verquickung von Wirklichkeit und privatem Mythos kommt besonders stark in den fingierten Briefen an ihren »blauen Reiter« Franz Marc (in der »Kaisergeschichte« *Der Malik*) zum Ausdruck, aber auch in den realen Briefen an den »Cardinal« Karl Kraus.

Ein anderes Zentrum des literarischen Lebens war das von Kurt Hiller gegründete »Neopathetische Cabaret«, in dem Else Lasker-Schüler – wie früher in Waldens »Verein für Kunst« – ihre Gedichte vortrug. Sie liebte es, ihre Lyrik selbst zu lesen, und unternahm Vortragsreisen nach Mün-

Ruben und Josef
(Fahnenbild)

chen, Zürich, Wien und Prag, Köln, Dresden und Königsberg, wahrscheinlich auch nach London.

Die Dichterin publizierte viel in Tageszeitungen: in der Frankfurter Zeitung, dem Berliner Börsenkurier, dem Berliner Tageblatt (bis 1932) und später in der Neuen Zürcher Zeitung. Die meisten angesehenen literarischen Zeitschriften brachten ihre Beiträge (von 1899 bis zum Ende der zwanziger Jahre): Die Gesellschaft, Das neue Magazin, Charon, Der Sturm, Die Aktion, Das neue Pathos, Neue Jugend, Die Fackel, Der Bren-

ner, Saturn, Die Schaubühne, Die Weißen Blätter u. a. Nach zahlreichen
Einzelveröffentlichungen in Buchform erschien 1919/20 im Verlag Paul
Cassirer eine zehnbändige Gesamtausgabe. 1919 fand die Uraufführung
des Schauspiels *Die Wupper*, das schon vor zehn Jahren gedruckt worden
war, statt, als private Veranstaltung der Gesellschaft »Das junge Deutschland« im Berliner Deutschen Theater Max Reinhardts, die zweite Auf-
führung 1927 ebenfalls in Berlin unter der Regie von Jürgen Fehling.
Die geplante Uraufführung des Schauspiels *Arthur Aronymus und seine
Väter* in Darmstadt zerschlug sich wegen der politischen Ereignisse. Ihre
anfangs umstrittenen Werke waren nun – Herwarth Walden, Gottfried
Benn und Karl Kraus hatten sich besonders für sie eingesetzt und sich
zu ihnen bekannt – allgemein anerkannt und geschätzt, und die Dichterin erhielt 1932 (zusammen mit Richard Billinger) den Kleistpreis.
Else Lasker-Schüler befand sich meistens in verzweifelter Geldnot, und
im Berliner Tageblatt und in der »Fackel« wurden Aufrufe gedruckt, die
um finanzielle Unterstützung der Dichterin baten. Ihr Lebensunterhalt
wurde zum großen Teil mit Zuwendungen ihrer Freunde und mit regel-
mäßigen Unterstützungen, zum Beispiel von seiten des Schocken-Verla-
ges, bestritten. Mit grenzenlosem Optimismus vertraute Else Lasker-

Schüler auf das finanzielle Glück ihrer geplanten Vorlesungen und Auf-
führungen, wie aus ihren Briefen an Jethro Bithell hervorgeht. Aber sie
war nicht egoistisch und haushälterisch genug, um eigenes Geld für sich
selbst zu verwenden; häufig verschenkte sie es an befreundete Künstler
in ebenso ärmlichen Umständen. Ein solches Leben des Mangels und der
Ruhelosigkeit ließ immer wieder die rückschauende Sehnsucht nach Heimat und Kindheit erwachen: »Ich habe keine Ruhe, immer unstet, kein
Zuhaus. Ich wollte, ich wäre jemand sein Kind. Und es ging jemand mit
mir in alle Spielläden und kaufte mir Schaukelpferde, kleine Bären,
Schachteln voll Häuschen und Bäumchen und Schafe und Hühner.« (an
Eduard Plietzsch, in: »... heiter ist die Kunst«, Gütersloh 1955, S. 46)
Die ersehnte Geborgenheit aber fand Else Lasker-Schüler nie. Fremd in
einer Alltagswelt, die sie nicht ertrug, war sie auch nicht fähig, die Dürf-
tigkeit ihrer Zeit zu ertragen, und sehnte sich nach mythischer Vergangenheit und biblischem Schauplatz. Und das Paradoxe trat ein, daß sie
am Ende ihres Irrgangs durch diese Welt und als Ziel von Vertreibung
und Flucht den Ort ihrer Sehnsucht erreichte: Jerusalem. Es begann
schon in den zwanziger Jahren, daß die jüdische Dichterin gehöhnt und
geschlagen wurde, wie Ernst Ginsberg berichtet. Die Ereignisse des
Jahres 1933 veranlaßten sie, Deutschland überstürzt den Rücken zu keh-
ren und es nie wieder zu betreten. »Else Lasker-Schüler war von den
Nazis in Berlin mit einer eisernen Stange niedergeschlagen worden und
hatte sich unmittelbar danach, noch in völlig benommenem und er-
schrecktem Zustand, auf den Bahnhof gestürzt und war in die Schweiz
geflohen. In Zürich war sie, völlig mittellos, durch die Straßen gewan-
dert und von der Sittenpolizei aufgegriffen worden, als sie auf einem

Bänkchen in einem öffentlichen Park übernachtete. Sie wurde wegen Landstreicherei festgenommen und einem Verhör unterworfen, durch das die Schweizer Öffentlichkeit erfuhr, wer sie war. Ihre Gedichte waren bekannt und standen neben denen Goethes in den Lesebüchern. Sie war gesundheitlich infolge jener kalten Nächte sehr heruntergekommen, und die Schweizer waren so ergriffen davon, daß sie zu ihren Ehren Schauspiele organisierten.« (Berto Perotti, »Begegnung mit Otto Pankok«, S. 19 f.) »Dann kam – H. und wir alle ... mußten über Nacht ... fort. Zerschlagen kam ich blutend in Zürich an. Lindners konnte ich das nie schreiben. Ich lag 6 Nächte am See hier versteckt, da Niemand momentan in Zürich, den ich kannte vom Krieg her. Nun kann ich leben, natürlich sehr schmächtig, da so viele Emigranten hier.« (Brief an Ines Asher vom 22. 8. 1938)

Unterbrochen von Aufenthalten in Ascona – Else Lasker-Schüler schwärmte für das Tessin –, wo sie ihre Gedichte in dem noch heute existierenden Privattheater Charlotte Baras im Castello San Materno vortrug, verlief ihr Leben in Zürich in ähnlichen Bahnen wie einst in Berlin. Sie veröffentlichte ihre Gedichte in Schweizer Tageszeitungen und in Klaus Manns Emigrationszeitschrift »Die Sammlung«. Zeitweilig lebte sie wohl auch vom Verkauf ihrer graphischen Arbeiten. Der Schauspieler Ernst Ginsberg und der Bühnenbildner Teo Otto wurden ihre Freunde. 1936 wurde im Zürcher Schauspielhaus eine von der Dichterin hergestellte zweite Fassung des »Arthur Aronymus« aufgeführt, mußte aber – als propagandistisch mißverstanden – sehr bald wieder abgesetzt werden. »Mein letztes Stück, das ich schrieb soll großartig (pardon) sein... Es wurde hier im Schauspielhaus aufgeführt. Da nun voriges Jahr hier großer Antisem. war – wurde ich verhauen und getreten ... der Direktor bedroht, mußte absetzen, da 42 Juden drin vorkommen.« (an Ines Asher vom 22. 8. 1938) Else Lasker-Schülers Einschätzung der nationalsozialistischen Politik scheint sehr unterschiedlich gewesen zu sein. Sie äußerte: »Die Nazis oder die Deutschen kommen mir vor wie Gymnasiasten, die Räuber und Gendarm spielen müssen.« (Hans Ludwig an Edda Lindwurm-Lindner vom 19. 11. 1964) Ernst Ginsberg gegenüber meinte sie jedoch, daß man sich keine Illusionen machen sollte, Hitler sei nicht zu stürzen, aber die Generäle seien »unsere einzige Chance«. (in: Frankfurter Allgemeine Zeitung, 16. 1. 1965)

1934 reiste Else Lasker-Schüler, von einem griechischen Ehepaar eingeladen, über Alexandrien nach Palästina. Auf einer Postkarte an ihre

Nichten vom 31. Mai heißt es: »Bin schon eine schöne Nacht und einen halben Tag auf See. Eben waren wir in Cypern, wo Paulus den Heiden predigte.« Else Lasker-Schüler begrüßte Palästina mit den Augen einer Gottsucherin und den Erwartungen ihrer Bibelbegeisterung als das Heilige Land, fand aber ein äußerst profan anmutendes Land politischer Zerrissenheit und sozialer Notstände vor. Dennoch erkannte sie hinter den Kulissen der Realität das Ursprungsland des Judentums und des Christentums und einen Abglanz des Himmlischen Jerusalem. Das Ergebnis dieser Reise war das 1937 in der Schweiz erschienene Buch *Das Hebräerland*.

die Jemenitin

Am 16. Juni 1937 kam die Dichterin ein zweitesmal nach Palästina (Jerusalem) und blieb bis zum 24. August. Als sie Anfang April 1939 ein drittes Mal hinfuhr, hatte sie noch die Absicht, wieder in die Schweiz zurückzukehren. Sie war durch eine Krankheit, die sie auf der Hinfahrt in Marseille überfiel, und durch die Anstrengungen der Überfahrt aufs äußerste erschöpft. »Ich reise ab 17. Aug. Ich bin sehr herunter. Die Armut erschüttert mich. Ich fahre 4. retour.« (an Edda Lindwurm-Lindner vom 30. 7. 1939)

Aber Jerusalem sollte die letzte Station ihres Lebens sein. Die nun siebzigjährige Dichterin schien am Ende ihrer Kraft: »Etwas Müdes, Gehetz-

tes, von namenloser Furcht Getriebenes beherrschte diese (kein anderes
Wort ist hier tauglich) gequälte Kreatur.« (Schalom Ben-Chorin in
*Dichtungen und Dokumente,* S. 583) Dennoch besaß Else Lasker-Schüler
noch genügend Lebensenergie, um weiterhin ihrer Dichtung zu leben
und das Bild von sich selbst aufrechtzuerhalten allen Auflösungserschei-
nungen zum Trotz, die es zu zerstören drohten: »Der Prinz Jussuf noch
immerdar«, unterschrieb sie einen Brief an Martin Buber. Wie eh und
je las sie ihre Gedichte und Geschichten vor, in Jerusalem, in Tel-
Aviv, in Haifa, und gründete einen Verein mit dem merkwürdigen Namen »Der Kraal«, in dem Künstler und Wissenschaftler Vorträge hielten, sie selbst ihre Werke, phantastisch-feierlich gekleidet, las. Die
eigenhändig geschriebenen Einladungen, von denen die an Werner Kraft
noch erhalten sind, trug sie in die Häuser ihrer Freunde und Bekannten.
1943 wurde in Jerusalem ihr letzter Lyrikband *Mein blaues Klavier*
veröffentlicht, mit Versen über Jerusalem und Gedichten einer späten
Liebe.

Anfang Januar 1945 erkrankte Else Lasker-Schüler an Angina pectoris.
Am 16. Januar brachte man sie ins Hospital. Sie litt sehr und starb nach
schwerem Todeskampf am 22. Januar. Anderntags wurde sie am Ölberg
begraben. »Else Lasker-Schüler was buried in the Jewish cemetery on
the Mt. of Olives in the section reserved for the most distinguished
persons, on the side of Henrietta Szold. A very imposing tombstone was
erected on her grave. The burial expenses and that of the stone were
assumed by her friends here. I conducted the funeral and also the cere-
mony upon the unveiling of the stone.« (Oberrabbiner Kurt Wilhelm an
Edda Lindwurm-Lindner über Ines Asher vom 28. 4. 1947) Der Ölberg
liegt auf der arabischen Seite der geteilten Stadt. Rückerinnernd schrieb
Schalom Ben-Chorin zum zwanzigsten Todestag Else Lasker-Schülers in
einer Jerusalemer Zeitung: »Vor zwanzig Jahren schloß die Dichterin
Else Lasker-Schüler ihre brennendschwarzen Augen in der ewigen Stadt
Jerusalem zum ewigen Schlaf. Auf dem Ölberg über Jerusalem wartet
sie, bis am Fuße dieses Berges im Tale Josaphat die Posaune der Auferstehung ertönt. Ist ihr Grab noch heil und erhalten? Wir wissen es nicht.
Ihr vertrauter Freund, der Architekt und Maler Leopold Krakauer, der
auch längst nicht mehr unter den Lebenden weilt, hatte ihr aus rauhem
Stein ein schlichtes Denkmal gehauen, einen Grabstein, der nur mit dem
unsterblichen Namen der Dichterin beschriftet war.«

*Margarete Kupper*

*Abschied von den Freunden.*

# ZU DEN ABBILDUNGEN

# BIBLIOGRAPHIE

In das nachstehende Werkverzeichnis wurden die Titel sämtlicher zu Lebzeiten der Dichterin erschienenen Bücher aufgenommen; es folgen diejenigen posthumen Ausgaben, die heute zugänglich und für die Kenntnis des Gesamtwerks von Belang sind. Die Abkürzungen in Klammern hinter einigen Titeln gelten für den Anmerkungsteil.

## STYX
*Gedichte*, Axel Juncker Verlag, Berlin 1902
Widmung: *Meinen teuren Eltern zur Weihe*

## DER SIEBENTE TAG  (Tag)
*Gedichte*, Verlag des Vereins für Kunst, Amelangsche Buchhandlung, Berlin 1905
Widmung: *Meiner teuren Mutter*

## DAS PETER HILLE-BUCH
Axel Juncker Verlag, Stuttgart-Berlin 1906

## DIE NÄCHTE TINO VON BAGDADS
Axel Juncker Verlag, Berlin-Stuttgart-Leipzig 1907
Widmung: *Meiner Mutter der Königin mit den goldenen Flügeln in Ehrfurcht*

## DIE WUPPER
*Schauspiel in 5 Aufzügen*, Oesterheld & Co, Berlin 1909
Widmung: *Der lieblichen Prinzessin Helle von L. schenke ich dieses Buch*

## MEINE WUNDER  (MW)
*Gedichte*, Dreililien-Verlag, Karlsruhe-Leipzig 1911; davon Zweite (Titel-) Auflage, Verlag der Weißen Bücher, Leipzig 1914; Dritte (Titel-)Auflage, Verlag Paul Cassirer, Berlin o. J. (1918/19)

## MEIN HERZ
*Ein Liebesroman mit Bildern und wirklich lebenden Menschen*, Verlag Heinrich F. S. Bachmair, München-Berlin 1912
Widmung: *Adolf Loos in Verehrung*

## GESICHTE
*Essays und andere Geschichten*, Kurt Wolff Verlag, Leipzig 1913
Widmung: *Dieses Buch schenke ich Kurt Wolff*

## HEBRÄISCHE BALLADEN  (HB 1)
A. R. Meyer Verlag, Berlin 1913
Widmung: *Karl Kraus zum Geschenk*

## HEBRÄISCHE BALLADEN   (HB 2)
Zweite, vermehrte Auflage, A. R. Meyer Verlag, Berlin o. J. (um 1913)
Widmung: *Karl Kraus zum Geschenk*

## DER PRINZ VON THEBEN
*Ein Geschichtenbuch,* Verlag der Weißen Bücher, Leipzig 1914
Widmung: *Meinem Vater Mohamed Pascha und seinem Enkel Pull*

## DIE GESAMMELTEN GEDICHTE   (GG I)
Verlag der Weißen Bücher, Leipzig 1917
Widmung: *Die gesammelten Gedichte schenke ich meiner teuren Mutter und ihrem Enkel Paul / Das Umschlagbild, von mir gezeichnet, schenke ich Gertrud Osthaus*

## DAS PETER HILLE-BUCH
Zweite (und Dritte) Auflage, Verlag Paul Cassirer, Berlin 1919

## DER MALIK
*Eine Kaisergeschichte mit Bildern und Zeichnungen,* Verlag Paul Cassirer, Berlin 1919
Widmung: *Meinem unvergeßlichen Franz Marc* DEM BLAUEN REITER *in Ewigkeit*

## DIE NÄCHTE DER TINO VON BAGDAD
Verlag Paul Cassirer, Berlin 1919
Widmung: *Dieses Buch schenke ich meinem geliebten Spielgefährten Sascha (Senna Hoy)*

## DIE WUPPER
*Schauspiel in 5 Aufzügen,* Verlag Paul Cassirer, Berlin 1919
Widmung: *Der lieblichen Prinzessin Helle von Soutzo schenke ich dieses Buch*

## ESSAYS
Zweite Auflage, Verlag Paul Cassirer, Berlin 1920
Widmung: *Dem lieben Leo Kestenberg schenke ich dieses Buch*

## GESICHTE
Zweite Auflage, Verlag Paul Cassirer, Berlin 1920

## MEIN HERZ
*Ein Liebesroman mit Bildern und wirklich lebenden Menschen,* Zweïte Auflage, Verlag Paul Cassirer, Berlin 1920
Widmung: *Mein Herz – Niemandem.*

DER PRINZ VON THEBEN
*Ein Geschichtenbuch*, Zweite Auflage, Verlag Paul Cassirer, Berlin 1920
Widmung: *Meinem Vater Mohammed Pascha und seinem Onkel* (Druckfehler
statt: Enkel) *Pull*

DIE GESAMMELTEN GEDICHTE (GG II)
Zweite Auflage, Kurt Wolff Verlag, Leipzig o. J. (1920)
Widmung: *Die gesammelten Gedichte schenke ich meiner teuren Mutter und
ihrem Enkel Paul / Das Umschlagbild, von mir gezeichnet, schenke ich Franz
Marc*

DIE GESAMMELTEN GEDICHTE (GG III)
Sechstes bis zehntes Tausend, Kurt Wolff Verlag, München 1920
Widmung wie in der Zweiten Auflage

HEBRÄISCHE BALLADEN (Ged I)
*Der Gedichte erster Teil*, Verlag Paul Cassirer, Berlin 1920
Widmung: *Die Gedichte schenke ich meiner teuren Mutter und ihrem Enkel Paul*

DIE KUPPEL (Ged II)
*Der Gedichte zweiter Teil*, Verlag Paul Cassirer, Berlin 1920
Widmung wie in »Der Gedichte erster Teil«

DER WUNDERRABBINER VON BARCELONA
Erzählung, Verlag Paul Cassirer, Berlin 1921

THEBEN
(10) *Gedichte* (in Faksimile) *und* (10) *Lithographien*, Querschnitt-Verlag, Frank-
furt-Berlin 1923 (250 Exemplare, davon 50 handkoloriert und signiert)
Widmung: *Pablo Pedrazzini dem Dogen von Locarno*

ICH RÄUME AUF!
*Meine Anklage gegen meine Verleger*, Lago Verlag, Zürich 1925

DIE WUPPER
*Schauspiel in 5 Aufzügen*, Selbstverlag, Berlin o. J. (um 1927)
Widmung wie Erstausgabe von 1909

KONZERT
Rowohlt-Verlag, Berlin 1932
Widmung: *Meiner teuren Mama und meinem geliebten Sohn Paul in Liebe*

ARTHUR ARONYMUS
*Die Geschichte meines Vaters*, Rowohlt-Verlag, Berlin 1932
Widmung: *Meiner teuren Mama Jeannetta und meinem geliebten Sohn Paul*

## ARTHUR ARONYMUS UND SEINE VÄTER
*(Aus meines geliebten Vaters Kinderjahren)*, *Schauspiel in fünfzehn Bildern*,
S. Fischer Verlag, Berlin 1932 (nur als Bühnenmanuskript gedruckt)
Widmung: *Meiner teuren Mutter: Jeannetta und meinem teuren Sohn Paul in Liebe*

## DAS HEBRÄERLAND
Verlag Oprecht, Zürich 1937
Widmung: *Meinen lieben Eltern und meinem geliebten Sohn Paul*

## MEIN BLAUES KLAVIER  (Klavier)
*Neue Gedichte*, Jerusalem Press Ltd., Jerusalem 1943; Second edition, Tarshish Books, Jerusalem 1957
Widmung: *Meinen unvergeßlichen Freunden und Freundinnen in den Städten Deutschlands – und denen, die wie ich vertrieben und nun zerstreut in der Welt, In Treue!*

## ELSE LASKER-SCHÜLER
*Eine Einführung in ihr Werk und eine Auswahl*, hrsg. von Werner Kraft, in: Verschollene und Vergessene, Franz Steiner Verlag, Wiesbaden 1951

## DICHTUNGEN UND DOKUMENTE  (DD)
*Gedichte, Prosa, Schauspiele, Briefe, Zeugnis und Erinnerung*, hrsg. von Ernst Ginsberg, Kösel-Verlag, München 1951

## GEDICHTE 1902–1943
Hrsg. von Friedhelm Kemp, Kösel-Verlag München 1959; Zweite Auflage ebd. 1961

## BRIEFE AN KARL KRAUS
Hrsg. von Astrid Gehlhoff-Claes, Verlag Kiepenheuer und Witsch, Köln-Berlin (1959)

## VERSE UND PROSA AUS DEM NACHLASS  (Nachlaß)
Hrsg. von Werner Kraft, Kösel-Verlag, München 1962

## PROSA UND SCHAUSPIELE
Hrsg. von Friedhelm Kemp, Kösel-Verlag, München 1962

## WIEDERENTDECKTE TEXTE
Else Lasker-Schülers, von Margarete Kupper, (Kupper) in: »Literaturwissenschaftliches Jahrbuch der Görres-Gesellschaft«, Neue Folge / Fünfter Band, Berlin 1964

# ZUR TEXTGESTALT

Der Textteil dieser ersten vollständigen Ausgabe aller bis heute erreichbaren Gedichte Else Lasker-Schülers ist folgendermaßen aufgegliedert:

1. die Sammlung »Styx« in der ursprünglichen Reihenfolge der Gedichte, unter Beibehaltung der typographischen Anordnung und der Orthographie der einzelnen Gedichte (S. 11–46); anschließend sämtliche Gedichte aus »Styx«, die, mehr oder weniger verändert, in »Die gesammelten Gedichte« und die zweibändige Gedichtausgabe von 1920 aufgenommen wurden (S. 48–63); mit Ausnahme von 4 Gedichten (*Mutter* S. 161, *Mein Kind* S. 163, *Meinlingchen* S. 163, *Sulamith* S. 182), die an späterer Stelle und in anderem Zusammenhang wiederholt werden;

2. 30 von den 33 Gedichten der Sammlung »Der siebente Tag«, in der ursprünglichen Reihenfolge (S. 67–88); die einzelnen Texte jedoch, mit Ausnahme von zwei Gedichten (*Erkenntnis* S. 67, *Mein stilles Lied* S. 79), in der endgültigen Fassung der zweibändigen Ausgabe von 1920; ausgeschieden wurden hier 3 hebräische Balladen (*Mein Volk* S. 171, *Ruth* S. 181, *Zebaoth* S. 181);

3. ein Gedicht aus »Das Peter Hille-Buch« (S. 89);

4. sämtliche 10 Gedichte aus »Die Nächte Tino von Bagdads« (S. 90–95), die in der zweiten Auflage des Buches (»Die Nächte der Tino von Bagdad«) mit einer Ausnahme (*Deine Schlankheit fließt wie dunkles Geschmeide*, S. 90) fortgefallen sind; die Aufteilung der Gedichte wurde hier zum erstenmal nach einem dem Erstdruck beigelegten losen Blatt berichtigt;

5. 16 neue Gedichte (S. 99–107) aus dem Versband »Meine Wunder«, der außerdem 32 Gedichte aus »Der siebente Tag«, 5 Gedichte an Senna Hoy (*Mein Liebeslied* S. 110, *Siehst du mich* S. 111, *Ein Liebeslied* S. 111, *Ein Lied der Liebe* S. 112, *Ein Trauerlied* S. 113), 4 neue hebräische Balladen (*Versöhnung* S. 171, *Pharao und Joseph* S. 176, *David und Jonathan* S. 177, *An Gott* S. 182) und das Gedicht *Meine Mutter* (S. 162) enthält;

6. der gesamte Zyklus der an Senna Hoy gerichteten Gedichte (S. 108–115), in der gleichen Anordnung wie in den »Gesammelten Gedichten« und in »Der Gedichte erster Teil« von 1920;

7. die Gedichte an Hans Ehrenbaum-Degele (S. 116–120), aus »Die Kuppel, Der Gedichte zweiter Teil« von 1920;

8. der Zyklus der Gedichte an Gottfried Benn (S. 121–131), in welchen auch alle übrigen Gedichte aufgenommen wurden, die ihm gewidmet sind oder

auf Grund der Einordnung in den »Gesammelten Gedichten« und dem
Bande »Die Kuppel« als hierhin gehörig gelten dürfen; die 2 ihm später
zugeeigneten Gedichte *In deine Augen* (S. 101) und *Von weit* (S. 101) aus
»Meine Wunder« wurden nicht wiederholt;

9. die Gedichte an Hans Adalbert von Maltzahn (S. 132–134) aus »Die Kuppel«;

10. die Gedichte an Paul Leppin (S. 135–136), an die sich

11. die übrigen Liebesgedichte aus den beiden Bänden der Gesamtausgabe von
1920 anschließen (S. 137–144);

12. die 3 Gedichte aus »Der Wunderrabbiner von Barcelona« (S. 145–146);

13. der Zyklus »Gedichte an Freunde« enthält sämtliche Gedichte an Personen
aus den beiden Bänden der Gesamtausgabe von 1920, soweit sie nicht bereits unter die Liebesgedichte einzureihen waren (147–160);

14. unter der Überschrift »Meine schöne Mutter blickte immer auf Venedig«,
aus dem Ersten Teil der Gesamtausgabe von 1920, 10 der dort unter dem
gleichen Zwischentitel vereinigten Gedichte, ferner das Gedicht *Meine
Mutter* aus »Meine Wunder« und das Gedicht *Gebet*, das in dem Bande
»Die Kuppel« als letztes steht; dieser kleine Zyklus (S. 161–168) bezeichnet hier den Abschluß der Produktion bis 1920/21;

15. der Zyklus »Hebräische Balladen« (S. 171–182); er enthält sämtliche bis
1920 entstandenen und in Buchform veröffentlichten Gedichte biblischer
Thematik, vermehrt um 2 Gedichte aus »Konzert« (*Joseph wird verkauft*
S. 175, *Abigail* S. 179); zwei frühe Gedichte fremden Tons (*Im Anfang*
S. 63, *Eva* S. 72), die in die beiden ersten Ausgaben der »Hebräischen
Balladen« Aufnahme fanden, wurden ausgeschieden; die Anordnung folgt,
wie schon bei Ginsberg in »Dichtungen und Dokumente«, im wesentlichen
den Büchern des Alten Testaments;

16. die Abteilung »Konzert« (S. 185–192) enthält aus den zwanziger Jahren
die Gedichte des unter diesem Titel erschienenen Sammelbandes von Prosa
und Versen, mit Ausnahme von 4 hebräischen Balladen (*Jakob* S. 174,
*Joseph wird verkauft* S. 175, *David und Jonathan* S. 178, *Abigail* S. 179),
dem Gedicht *Gott hör ...* aus »Der Wunderrabbiner von Barcelona« (S. 145)
und 2 Gedichten (*An meine Freunde* S. 195, *An mein Kind* S. 197), die in
die letzte Verssammlung Aufnahme fanden;

17. diese, »Mein blaues Klavier« (S. 195–215), bildet, in einem wortgetreuen
Abdruck der Erstausgabe von 1943, der Textgestalt nach das späte Gegen-

stück zu der Sammlung »Styx« und als letzte zu Lebzeiten der Dichterin erschienene Veröffentlichung den Abschluß des lyrischen Werkes, soweit es bis zum Tode Else Lasker-Schülers in Buchform vorlag.

18. Die nun folgenden Gedichte an und über Personen (S. 219–234) stammen aus den Jahren 1919 bis 1941; die Herkunft der einzelnen Stücke sowie der angehängten Ulkiaden (S. 235–240) wird, da es sich in der Mehrzahl um bisher kaum oder nur an entlegener Stelle zugängliche Texte handelt, in den Anmerkungen verzeichnet;

19. der letzte Teil »Verstreute Gedichte, Verse aus dem Nachlaß« (S. 243–262) enthält die schon in »Verse und Prosa aus dem Nachlaß« von Werner Kraft veröffentlichten Stücke, vermehrt um 2 Gedichte (*Ein Geigenliedchen*, S. 247, *Am fernen Abend*, S. 251);

20. die verkleinerte Faksimile-Wiedergabe des Buches »Theben«.

Mit Ausnahme des vollständigen Abdrucks der Sammlung »Styx« in unveränderter Gestalt wurde in der Regel die späteste Fassung der einzelnen Gedichte aufgenommen. Wiesen die frühere und die endgültige Fassung sehr starke Abweichungen auf, so wurden gelegentlich beide abgedruckt. Im Hinblick auf die verschiedenen Fassungen muß allerdings angemerkt werden, daß die späteren Veränderungen nicht immer Verbesserungen darstellen. Das gilt namentlich von den älteren Gedichten, die in dem Prosabuch »Das Hebräerland« (1937) zitiert werden; diese bisweilen fragwürdigen Fassungen wurden deshalb nicht herangezogen.

Gewisse Eigenheiten der Orthographie wurden beibehalten; ebenso meist die häufig willkürliche, ungewohnte oder ungenügende Interpunktion. Letztere folgt in der Regel dem spätesten Druck, es sei denn, die früheren Sammlungen legen insgesamt eine andere Zeichensetzung nahe. Offenkundige Druckfehler wurden meist stillschweigend berichtigt.

Im Unterschied zu dem ersten Versuch einer Gesamtausgabe der Gedichte Else Lasker-Schülers (München 1959) wurde im Anhang auf einen vollständigen Quellennachweis der einzelnen Texte verzichtet; ebenso blieben, mit einigen wenigen Ausnahmen, die Varianten unberücksichtigt. Ein vollständiges Variantenverzeichnis aller bis 1963 entdeckten und zugänglichen Stücke bietet Margarete Kupper in ihren »Materialien zu einer kritischen Ausgabe der Lyrik Else Lasker-Schülers« (»Literaturwissenschaftliches Jahrbuch der Görres-Gesellschaft«, Neue Folge / Vierter Band, Berlin 1963, S. 95–190). Verzeichnet wurden hingegen sämtliche Widmungen sowohl der Abdrucke in Zeitungen und Zeitschriften als auch der Buchausgaben.

Die zeitliche Folge der Veröffentlichungen sollte im großen und ganzen gewahrt bleiben; zugleich aber durften die von der Dichterin selber durch zyklische

Anordnung und die Beigabe von Widmungen hergestellten oder angedeuteten Zusammenhänge nicht zerstört werden. Der Herausgeber ist sich bewußt, daß seine Aufgliederung des Textbestandes – die hier, dank zahlreicher kritischer Vorschläge und Einwände Fräulein Margarete Kuppers, gegenüber der Ausgabe von 1959 durch Raffungen, Umstellungen und Erweiterungen verbessert werden konnte – keinerlei Anspruch auf kanonische Geltung besitzt. Dennoch glaubt er, im Sinne der Dichterin gehandelt zu haben, der an einer Anordnung nach rein chronologischen Grundsätzen gewiß nicht viel gelegen wäre.

Wesentliche Hilfe und Förderung empfing diese erste Ausgabe der sämtlichen Gedichte Else Lasker-Schülers, außer durch die Vorarbeiten und den unermüdlichen Entdeckungseifer Fräulein Margarete Kuppers (Würzburg), vor allem durch Frau Edda Lindwurm-Lindner (Dörzbach/Jagst), die Nichte der Dichterin, die auch einen Teil des Bildmaterials zur Verfügung stellte; ferner durch Herrn Manfred Sturmann, den Nachlaßverwalter und Betreuer des Else Lasker-Schüler-Archivs in Jerusalem, sowie durch Herrn Friedrich Pfäfflin (München) und seine ordnende Hand. Allen Genannten sei an dieser Stelle herzlich gedankt.

*Friedhelm Kemp*

# ANMERKUNGEN

## Styx

13 FRÜHLING
ursprünglicher Titel: *Zur Kindheit* (1900)

16 SYRINXLIEDCHEN
ursprünglicher Titel: *Ein Syrinxliedchen* (1900)

38 KÖNIGSWILLE
ursprünglicher Titel: *Ein Königswille* (1900)

38 VOLKSLIED
ursprünglicher Titel: *Vorahnung* (1899), *Ahnung* (1899)

39 MÜDE
die zweite Strophe später unter der Überschrift *Styx*, S. 48

48 STYX
erste Fassung: *Müde*, S. 39
Widmung unter dem Gedicht: *(Die Gedichte des Styx schenke ich Ludwig von Ficker, dem Landvogt von Tyrol und seiner schönen Schwedin)*
(GG)

48 CHRONICA
Widmung: *(Meinen Schwestern zu eigen)* (Styx, GG)

49 WELTFLUCHT
Widmung: *(Herwarth Walden, dem Tondichter des Liedes)* (GG II, III)
in Ged II unter die Gedichte für Hans Adalbert von Maltzahn eingereiht.
*Die Gedichte meines ersten Buches: Styx, das im Verlag Axel Juncker erschien, dichtete ich zwischen 15 und 17 Jahren. Ich hatte damals meine Ursprache wiedergefunden, noch aus der Zeit Sauls, des Königlichen Wildjuden herstammend. Ich verstehe sie heute noch zu sprechen, die Sprache, die ich wahrscheinlich im Traume einatme. Sie dürfte Sie interessieren zu hören. Mein Gedicht Weltflucht dichtete ich u. a. in diesem mystischen Asiatisch. (Ich räume auf!; es folgt das leicht veränderte und, wohl versehentlich, um 2 Zeilen gekürzte Gedicht; dann folgender Text:)*

*ELBANAFF:*

*Min salihihi wali kinahu*
*Rahi hatiman*

*fi is bahi lahu fassun –*
*Min hagas assama anadir,*
*Wakan liachad abtal,*
*Latina almu lijádina binassre.*
*Wa min tab ihi*
*Anahu jatelahu*
*Wanu bilahum.*
*Assama ja saruh*
*fi es supi bila uni*
*El fidda alba hire*
*Wa wisuri – elbanaff!*

51   MAIROSEN
Widmung: *(Peter Baum, dem Landwehrmann)* (GG I), *(Peter Baum,*
*dem Großfürsten)* (GG II, III)

52   SCHEIDUNG
erste Fassung: *Karma* S. 19

53   DASEIN
Widmung: *(Eugen von Goßler)* (GG)

54   KÜHLE
Widmung: *(Der lieben May Kapteyn)* (GG I), *(Dem Kurt Pinthus)*
(GG II, III)

54   CHAOS
Widmung: *(Dem Heinz Simon in Frankfurt zur Freundschaft)* (GG I)

56   MEIN DRAMA
Widmung: *(Der lieben Grete Fischer aus Prag)* (GG II, III)

57   LIEBESSTERNE
erste Fassung: *Sterne des Fatums* S. 30

57   SCHWARZE STERNE
erste Fassung: *Sterne des Tartaros* S. 30
Widmung: *(Meinem lieben Sioux Marsden Hartley)* (GG II, III)

58   BALLADE
Widmung: *(Dem von mir immer so verehrten Dr. Blümner)* (GG)

61   NACHWEH
Widmung: *(Peter Baum und seinem Freunde Dr. Schlieper)* (GG)

61 MEIN TANZLIED
Widmung: *(Dem schönen Schauspieler Erich Kaiser-Titz)* (GG)

62 ES WAR EINE EBBE IN MEINEM BLUT
erste Fassung: *Meine Blutangst* S. 45

63 IM ANFANG
Untertitel: *(Weltscherzo)* (Styx, GG)
Widmung: *(Dem lieben Erik-Ernst Schwabach)* (GG)

## Der siebente Tag

67 ERKENNTNIS
erste Fassung; zweite Fassung: *Die Stimme Edens* S. 100

69 LIEBESFLUG
Widmung: *(Meiner lieben Zobëide: Wally Schramm)* (GG II, III)

69 WIR BEIDE
Widmung: *(Paula Dehmel, der Engelin)* (GG)

71 MARGRET
ursprünglicher Titel: *Meiner Schwester Kind* (Tag, MW)
Untertitel: *(Meiner Schwester Marthas Kind)* (GG)

71 »TÄUBCHEN, DAS IN SEINEM EIGNEN BLUTE
SCHWIMMT«
Widmung: *(Richard Dehmel)* (GG)

72 EVA
Widmung: *(Dem Hans Ehrenbaum-Degele)* (GG)

73 UNSER STOLZES LIED
Widmung: *Der Goldhäutigen zu eigen* (Tag)

73 UNSER LIEBESLIED
Widmung: *Der Schlanken in Grazie* (Tag)
in der ersten Fassung (Tag) Strophe 4 vor Strophe 3, anschließend
Strophe 5:
  *Du ... mein Nacken ist ein Mattgold-Abendfluten*
  *Gleite ... gleite Wildschwane.*

74 UNSER KRIEGSLIED
Widmung: *Der Kühnen in Herbe* (Tag)

74 NEBEL
ursprünglicher Titel: *Erfüllung* (Tag, MW)
Widmung: *(Georg Heinrich Meyer und seiner Moosrose in Leipzig)*
(GG)

75 SCHULZEIT
ursprünglicher Titel: *Als ich noch im Flügelkleide...* (Tag)
Widmung: *(Meinem Päulchen)* (GG)

77 NACHKLÄNGE
Widmung: *(Helene Herrmann, der ewigen Studentin)* (GG)

79 MEIN STILLES LIED
erste Fassung; zweite Fassung S. 166

82 STREITER
Widmung: *(Der verehrten Fürstin Pauline zu Wied)* (GG)

82 WIR DREI
Untertitel: *(Wieland, ich, Helmut)* (GG)

84 MEIN WANDERLIED
Widmung: *(Meinem lieben Statthalter Alfred Meyer in München)* (GG)

84 DER LETZTE
ursprünglicher Gedichtanfang:
   *Wilde Winde wehte ich,*
   *Bis ich stand.*
   Alle Sterne träumen von mir, (Tag)

85 O, MEINE SCHMERZLICHE LUST...
Widmung: *(Elfriede Caro in großer Freundschaft)* (GG)

86 DER LETZTE STERN
Widmung: *(John Hertz und Alice Behrend)* (GG)

87 HEIM
Widmung: *(Estella Meyer der Lieben)* (GG)

87 SPHINX
ursprünglicher Schluß:
   Erstarken neu im Kampf mit Widersprüchen,
   *Und meine Seele heilt in Erdgerüchen,*
   *Die sommerheiß aus ihren Poren quellen.* (Tag)

88 WELTENDE
Widmung: *Herwarth Walden* (Tag), *(H. W. Wilhelm von Kevlaar zur Erinnerung an viele Jahre)* (GG)

## Das Peter Hille-Buch

89 DER ABEND RUHT AUF MEINER STIRNE
als Abschluß des Prosastücks *Petrus und ich auf den Bergen* [V]; der Sprechende ist Petrus.

## Die Nächte Tino von Bagdads

90 MEIN LIED
Widmung: *(Meinem gefallenen, lieben Krieger Georg Trakl)* (GG)

90 DEINE SCHLANKHEIT FLIESST WIE DUNKLES GESCHMEIDE
als Abschluß des folgenden Prosastücks:

### Der Magier

*Vor Bor Ab Balochs Blick stürzten die Tore der feindlichen Städte, und vom zackigen Dolch einer Gewitterschlacht fiel der jüdische Feldherr jehovahgesegnet. Tief im Antlitz senkt sich seines Sohnes Abduls herbes Knabenauge, aber seine Wange lächelt seiner Mutter Lächeln. Unter der Goldrose der Frühe wandelt Abdul Antinous an den Bächen vorbei, darin sich die Königskinder spiegeln. Bagdads Prinzessin blickt ihm entgegen – ein goldenes Samtsegel ist ihre beschattende Hand – Abdul Antinous.....*
*Alle Sonnen singen vor ihrer Seele, Psalme, die nach seinem ehernen Blute stehn und duften nach dem Lächeln seiner Wange.*
Eine Zeile Zwischenraum, dann der Text des Gedichtes.

91 ICH FRAGE NICHT MEHR
später mit dem zusätzlichen Titel: *Dem König von Böhmen* unter die Gedichte an Paul Leppin eingereiht, S. 135

93 ICH TRÄUME SO LEISE VON DIR
Widmung: *(S. H.)* (GG I)

94 DU ES IST NACHT–
spätere Fassung: *Dem Daniel Jesus Paul* S. 136

95 DAS LIED MEINES LEBENS
Widmung: *(Leo Kestenberg und seiner Grete)* (GG)

*Meine Wunder*

99   NUN SCHLUMMERT MEINE SEELE
Widmung: *(Dem lieben Hans Heinrich von Twardowski)* (GG)

99   ANKUNFT
Widmung: *(Meinem lieben Job Haubrich in Köln)* (GG I, II)

100   DIE STIMME EDENS
zweite Fassung von *Erkenntnis* (Tag), siehe S. 67
Widmung: *(Dem lieben Fritz Wolff, dem Zeichner der Generäle und seiner Malerin mit vieler Liebe)* (GG)

101   IN DEINE AUGEN
ursprünglicher Titel: *In deinen Augen* (MW)

102   WO MAG DER TOD MEIN HERZ LASSEN?
ursprünglicher Titel: *Die Liebe* (MW)

104   ABEND
Widmung: *(Alexander von Bernus)* (GG I)

104   UND SUCHE GOTT
Widmung: *(Meinem Paul)* (GG)

105   HEIMWEH
Widmung: *(Zwei Freunden: Paul Zech und Hans Ehrenbaum-Degele)* (GG)

106   MARIE VON NAZARETH
ursprünglicher Titel: *Maria* (MW)
Widmung: *(Meiner liebsten Kete Parsenow)* (GG)
In »Der Prinz von Theben« ist dieses Gedicht die freie Paraphrase eines »wundersüßen Liedchens auf altnazarenisch-hebräisch« (Hebräerland: »ein klein altaramäisches Kinderliedchen«), dessen Text dort folgendermaßen lautet (in »Das Hebräerland« etwas abweichend):

*Abba ta Marjam*
*Abba min Salihï.*
*Gad mâra aleijâ*
*Assâma anadir –*
*Binassre wa wa.*
*Lala, Marjam*
*Schû gabinahû,*
*Melêchim hadû-ja.*
*Lahû Marjam*
*alkahane fi sijab.*

107  KETE PARSENOW
ursprünglicher Titel: *Die Königin* (MW, GG)
Widmung: *(Für Kete Parsenow)* (MW, GG)

107  VOLLMOND
Widmung: *(Meiner Stadt Theben)* (GG II, III)

*Meinem so geliebten Spielgefährten Senna Hoy*

109  SENNA HOY
ursprünglicher Titel: *An den Prinzen Benjamin* (1914)

110  MEIN LIEBESLIED
Widmung: *(Sascha, dem himmlischen Köingssohn)* (GG)

111  SIEHST DU MICH
Widmung: *(Dem holden gefangenen Krieger Sascha)* (GG)

111  EIN LIEBESLIED
Widmung: *(Dir, Sascha – Dir)* (GG)

112  EIN LIED DER LIEBE
Widmung: *(Sascha)* (GG)

113  EIN  TRAUERLIED
Widmung: *(Für Sascha den Prinzen von Moskau)* (GG)

115  SENNA HOY
Dazu in GG ein Vortext unter dem Titel: *Senna Hoy †*
*Senna Hoy ging vor zehn Jahren nach Rußland. Er war damals zwanzig
Jahre alt. Während der Revolution wurde er in einem Garten gefangen
genommen, ganz grundlos, wie damals solche Verhaftungen nach Gut-
dünken der Polizei stattfanden. Auf dem Termin wurden Zeugen, die
Senna Hoy angab, nicht zugelassen und er kam vom Rathaus in die
Warschauer Festung. Aber bald wurde er in das entsetzliche Gefängnis
(Katorga) nach Moskau gebracht, wo er, da er sich stets gegen die Miß-
handlungen der Mitgefangenen einsetzte, selbst fast zu Tode gepeinigt
wurde. Durch die Hilfe des Leibarztes des Zaren gelang es, Senna Hoy,
nachdem er sieben Jahre im Kerker zu Moskau geschmachtet und zwei-
mal versucht hatte, sich das Leben zu nehmen, in die Gefangenenabtei-
lung des Krankenhauses nach Metscherskoje, fünf Stunden über die
Ebene von Moskau entfernt, zu bringen, wo er, der schönste, blühendste
Jüngling, der auszog, für die Befreiung gepeinigter Menschen zu kämp-
fen, selbst erlag, zwischen todkranken, irrsinnigen Gefangenen. »Wohl
ein heiliger Feldherr«, meinte selbst der Direktor der Anstalt.*

*Meinem reinen Liebesfreund Hans Ehrenbaum-Degele*

116 HANS EHRENBAUM-DEGELE
Widmung: *(Dieses Gedicht seiner weinenden, jungen Mutter)* (GG)
dieses Gedicht zusammen mit dem vorausgehenden und den zwei folgenden 1917/18 unter der gemeinsamen Widmung: *In memoriam Hans
Ehrenbaum-Degele meinem reinen Liebesfreund diese vier Gedichte*

117 AN DEN GRALPRINZEN
dieses und die folgenden 4 Gedichte zuerst unter der Sammelüberschrift
*Fünf Lieder an fünf Prinzen* (1912), dann ohne jede Überschrift in
»Mein Herz, Ein Liebesroman«

118 AN DEN PRINZEN TRISTAN
Widmung: *(Unserem Freund dem Hutten: Wilhelm Murnau)* (GG)

119 AN DEN RITTER
früherer Titel: *Dem Goldprinzen* (1917)


*Gottfried Benn*

Reihenfolge der Gedichte im wesentlichen mit Ged II übereinstimmend;
als Einleitung in GG folgender Prosatext:

### Doktor Benn

*Er steigt hinunter ins Gewölbe seines Krankenhauses und schneidet die
Toten auf. Ein Nimmersatt, sich zu bereichern an Geheimnis. Er sagt:
»tot ist tot«. Dennoch fromm im Nichtglauben liebt er die Häuser der
Gebete, träumende Altäre, Augen, die von fern kommen. Er ist ein
evangelischer Heide, ein Christ mit dem Götzenhaupt, mit der Habicht-
nase und dem Leopardenherzen. Sein Herz ist fellgefleckt und gestreckt.
Er liebt Fell und liebt Met und die großen Böcke, die am Waldfeuer gebraten wurden. Ich sagte einmal zu ihm: »Sie sind allerleiherb, lauter
Fels, rauhe Ebene, auch Waldfrieden, und Bucheckern und Strauch und
Rotrotdorn und Kastanien im Schatten und Goldlaub, braune Blätter
und Rohr. Oder Sie sind, Erde mit Wurzeln und Jagd und Höhenrauch
und Löwenzahn und Brennesseln und Donner.« Er steht unentwegt,
wankt nie, trägt das Dach einer Welt auf dem Rücken. Wenn ich mich
vertanzt habe, weiß nicht, wo ich hin soll, dann wollte ich, ich wäre ein
grauer Samtmaulwurf und würfe seine Achselhöhle auf und vergrübe
mich in ihr. Eine Mücke bin ich und spiele immerzu vor seinem Angesicht. Aber eine Biene möcht ich sein, dann schwirrte ich um seinen Na-
bel. Lang bevor ich ihn kannte, war ich seine Leserin; sein Gedichtbuch
– Morgue – lag auf meiner Decke: grauenvolle Kunstwunder, Todesträu-*

*merei, die Kontur annahm. Leiden reißen ihre Rachen auf und ver-*
*stummen, Kirchhöfe wandeln in die Krankensäle und pflanzen sich vor*
*die Betten der Schmerzensreichen an. Die kindtragenden Frauen hört*
*man schreien aus den Kreißsälen bis ans Ende der Welt. Jeder seiner*
*Verse ein Leopardenbiß, ein Wildtiersprung. Der Knochen ist sein Grif-*
*fel, mit dem er das Wort auferweckt.*

121    O, DEINE HÄNDE
Widmung: *(An Giselfendi)* (GG)

121    GISELHEER DEM HEIDEN
späterer Titel: *Doktor Benn* (1920)
dieses und die 2 folgenden Gedichte zuerst unter der Sammelüberschrift
*Drei Gesänge an Giselheer* (1913)

123    LAUTER DIAMANT
Widmung: *(An Gisel)* (GG)

124    DAS LIED DES SPIELPRINZEN
Widmung: *(G. B. in Liebe)* (GG I), *(Ihm in Liebe)* (GG II)

125    HINTER BÄUMEN BERG ICH MICH
ursprünglicher Titel: *Dem Abtrünnigen* (1914)

126    KLEIN STERBELIED
Widmung: *(Gottfried Benn)* (GG)

127    O GOTT
in GG III steht das Gedicht in 2 Fassungen, die endgültige Fassung als
Schlußgedicht des ganzen Buches

127    HÖRE
Untertitel: *(Letztes Lied an Giselheer)* (GG)

128    VERINNERLICHT
Widmung: *Job. Haubrich gewidmet* (1916), *(Meinem Doktor Benn)*
(GG)

128    NUR DICH
ursprünglicher Titel: *An den Herzog von Vineta* (1913)

131    O ICH MÖCHT AUS DER WELT
erste Fassung *O, ich hab dich so lieb* (1914) S. 248
Widmung: *(Meinem Doktor Benn)* (GG)

*Hans Adalbert von Maltzahn*

133    ABER DEINE BRAUEN SIND UNWETTER
späterer Titel: *Liebeslied* (1918)
Widmung: *(H. A.)* (GG I/II)

134    DU MACHST MICH TRAURIG – HÖR
Widmung: *(Hans Adalbert)* (GG I), *(Guido)* (GG II)

*Paul Leppin*

135    DEM KÖNIG VON BÖHMEN
ohne diese spätere Überschrift in »Die Nächte Tino von Bagdads«, siehe
S. 91

136    DEM DANIEL JESUS PAUL
frühere Fassung unter dem Titel *Du es ist Nacht* in »Die Nächte Tino
von Bagdads«, siehe S. 94

137    AN ZWEI FREUNDE
Widmung: *(Dem Duc)* (GG)

137    LAURENCIS
Widmung: *(Hans Siemsen dem lieben Heiligen)* (GG I)

138    SAVARY LE DUC
unter dem Titel: *(starb bei Lausanne 1918 schön und jung)* (GG II/III)
Widmung: *Seinem brüderlichen Freund Hans Siemsen, den er im Tod
noch liebt.* (GG II/III)

139    UNSER LIEBESLIED
Widmung: *(Ihrem kleinen Zeno in Zärtlichkeit)* (GG)

140    PALMENLIED
ursprünglicher Titel: *Dem Prinzen von Marokko* (1911)

141    DER MÖNCH
dieses und die 2 folgenden Gedichte zuerst mit der Widmung: *(F. J.)*
(GG I)

Der Wunderrabbiner von Barcelona

145 GOTT HÖR...
letzte Fassung aus »Konzert«
Widmung: *Hugo Simon dem Boas* (1920)

145 PABLO, NACHTS HÖRE ICH DIE PALMENBLÄTTER
in der Erzählung Liebesverse der Dichterin Amram

146 DIE ENGEL DECKTEN WOLKENWEISS ZUM
HIMMELSMAHLE
Schlußverse der Erzählung nach dem Tode des Wunderrabbiners Eleasar

*Gedichte an Freunde*

147 ST. PETER HILLE
in GG mit der Unterschrift *Tino*, nach folgendem, als Einleitung zu dem
Bande gedruckten Text von Peter Hille:

*Else Lasker-Schüler*

*Else Lasker-Schüler ist die jüdische Dichterin. Von großem Wurf. Was
Deborah!*
*Sie hat Schwingen und Fesseln, Jauchzen des Kindes, der seligen Braut
fromme Inbrunst, das müde Blut verbannter Jahrtausende und greiser
Kränkungen. Mit zierlichbraunen Sandälchen wandert sie in Wüsten,
und Stürme stäuben ihre kindlichen Nippsachen ab, ganz behutsam,
ohne auch nur ein Puppenschühchen hinabzuwerfen. Ihr Dichtgeist ist
schwarzer Diamant, der in ihrer Stirn schneidet und wehetut. Sehr
wehe.*
*Der schwarze Schwan Israels, eine Sappho, der die Welt entzwei ge-
gangen ist. Strahlt kindlich, ist urfinster. In ihres Haares Nacht wandert
Winterschnee. Ihre Wangen feine Früchte, verbrannt vom Geiste.*
*Sie tollt sich mit dem alterernsten Jahve, und ihr Mutterseelchen plau-
dert von ihrem Knaben, wie's sein soll, nicht philosophisch, nicht ge-
fühlsselig, nein – von wannen Liebe und Leben kommt, aus dem Mär-
chenbuch.*
*Else Lasker-Schüler ist von dunkelknisternder Strähne auf heißem,
leidenschaftstrengem Judenhaupte, und so berührt so etwas wie deutsche
Volksweise, wie Morgenwind durch die Nardengassen der Sulamith
überaus köstlich. Wie auch Heine einen Einschlag von deutschen Fäden
im Blute hatte, wohl noch stärker als Prinzeß Tino. So daß es bei ihm
zu Kampf, fast zur Auflösung kam.*
*Else's Seele aber steht in den Abendfarben Jerusalems, wie sie's einmal
so überaus glücklich bezeichnet hat.*

*Jüdische Dichter, schöpferische Dichter aus Judäerblut sind selten. Die Glut einer entlegenen Urseele ursprünglich, stark und bei Schmähungen ungereizt zu erhalten, ist nicht leicht. Heinrich Heine hat zu viel kleinliche Gehässigkeit, zu viel geriebenes Feuilleton unter seinen Werken.*

*Ein zweiter Gedichtband ist im Druck. Auf Wiedersehen, Tino!*

*Tino ist der unpersönliche Name, den ich für die Freundin und den Menschen fand, die flammenden Geist und zitternde Welt wie mit Blumenkelchen umfangende Seele.*

Peter Hille.

148 HERODES. V. AUFZUG
früherer Titel: *Albert Heine – Herodes. V. Aufzug* (Gesichte, GG)
Untertitel: *(Berliner Theater)* (GG)

152 ALICE TRÜBNER
Widmung: *(Ihrem lieben Jungen)* (GG)

153 GEORGE GROSZ
Widmung: *(Seinem Freunde Theodorio)* (GG)

154 HEINRICH MARIA DAVRINGHAUSEN
Widmung: *(Seinem Freunde Wieland)* (GG)

155 MILLY STEGER
Widmung: *(Ihrer Mutter)* (GG)

160 FRANZ MARC, DER BLAUE REITER...
Schlußverse eines Prosatextes in GG und Ged II:

Franz Marc

*Der blaue Reiter ist gefallen, ein Großbiblischer, an dem der Duft Edens hing. Über die Landschaft warf er einen blauen Schatten. Er war der, welcher die Tiere noch reden hörte; und er verklärte ihre unverstandenen Seelen. Immer erinnerte mich der blaue Reiter aus dem Kriege daran: es genügt nicht alleine, zu den Menschen gütig zu sein, und was du namentlich an den Pferden, da sie unbeschreiblich auf dem Schlachtfeld leiden müssen, Gutes tust, tust du mir.*

*Er ist gefallen. Seinen Riesenkörper tragen große Engel zu Gott, der hält seine blaue Seele, eine leuchtende Fahne, in seiner Hand. Ich denke an eine Geschichte im Talmud, die mir ein Priester erzählte: wie Gott mit den Menschen vor dem zerstörten Tempel stand und weinte. Denn wo der blaue Reiter ging, schenkte er Himmel. So viele Vögel fliegen durch die Nacht, sie können noch Wind und Atem spielen, aber wir wissen nichts mehr hier unten davon, wir können uns nur noch zerhak-*

*ken oder gleichgültig aneinander vorbeigehen. In dieser Nüchternheit
erhebt sich drohend eine unermeßliche Blutmühle, und wir Völker alle
werden bald zermahlen sein. Schreiten immerfort über wartende Erde.
Der blaue Reiter ist angelangt; er war noch zu jung zu sterben.
Nie sah ich irgendeinen Maler gotternster und sanfter malen wie ihn.
»Zitronenochsen« und »Feuerbüffel« nannte er seine Tiere, und auf seiner
Schläfe ging ein Stern auf. Aber auch die Tiere der Wildnis begannen
pflanzlich zu werden in seiner tropischen Hand. Tigerinnen verzauberte
er zu Anemonen, Leoparden legte er das Geschmeide der Levkoje um;
er sprach vom reinen Totschlag, wenn auf seinem Bild sich der Panther
die Gazell vom Fels holte. Er fühlte wie der junge Erzvater in der Bibel-
zeit, ein herrlicher Jakob er, der Fürst von Kana. Um seine Schultern
schlug er wild das Dickicht; sein schönes Angesicht spiegelte er im Quell
und sein Wunderherz trug er oftmals in Fell gehüllt, wie ein schlafendes
Knäblein heim, über die Wiesen, wenn es müde war.
Das war alles vor dem Krieg.*
anschließend die Verse

*Meine schöne Mutter blickte immer auf Venedig*

161 MUTTER
erste Fassung (Styx) S. 12
Widmung: *(Meiner teuren Mutter der heiligste Stern über meinem Leben)* (GG I), *(Meiner teuren Mutter, dem heiligsten Stern über meinem
Leben)* (GG II/III)

161 MUTTER
ursprünglicher Titel: *Meiner Mutter* (1914)

162 MEINER SCHWESTER ANNA DIESES LIED
ursprünglicher Titel: *Meiner Schwester dieses Lied* (1912)
Widmung: *(Ihren Kindern Edda und Erika Lindner)* (GG)

163 MEIN KIND
erste Fassung (Styx) S. 33

163 MEINLINGCHEN
erste Fassung (Styx) S. 36
Widmung: *(Dem Prinzen Alcibiades de Rouan)* (GG)

164 DIE PAVIANMUTTER SINGT IHR PAVIÄNCHEN
IN DEN SCHLAF
Untertitel: *(Wiegenliedchen)* (GG)
Widmung: *(Meinem kleinen Päulchen. Aus dem Peter-Hille-Buch)* (GG)

165 ANTINOUS
Widmung: *(Adi André-Douglas)* (GG)

165 DER ALTE TEMPEL IN PRAG
Widmung: *(Otto Pick)* (GG)

166 MEIN STILLES LIED
frühere Fassung (Tag) S. 79
Widmung: *(Meiner lieben Malerin Alice Trübner)* (GG)

167 GEBET
Widmung: *(Meinem teuren Halbbruder, dem blauen Reiter)* (GG)

## Hebräische Balladen

Widmung: *Karl Kraus zum Geschenk* (HB 1/2), *(Meine hebräischen Balladen widme ich Karl Kraus dem Kardinal* (GG)

171 VERSÖHNUNG
späterer Titel: *Der Versöhnungstag* (Hebräerland)
Widmung: *(Guido von Fuchs, dem Tondichter meiner Balladen)* (GG II), *(Meiner Mutter)* (GG III)

171 MEIN VOLK
Widmung: *(Meinem geliebten Sohn Paul)* (GG)

172 ABEL
Widmung: *(Fritz Holländer, dem Tondichter meiner Wupper)* (GG II/III)
in der ersten Fassung (HB 1/2) eine fünfte Strophe:
*Durch dein dumpfes Herz*
*Klagt Abels flatternde Seele.*

*Warum hast du deinen Bruder erschlagen, Kain?*

172 ABRAHAM UND ISAAK
Widmung: *(Dem großen Propheten St. Peter Hille in Ehrfurcht)* (GG)

173 HAGAR UND ISMAEL
Widmung: *Max Reinhard schenke ich dieses Gedicht* (1919)

174 JAKOB UND ESAU
Widmung: *(Meinen lieben Spielgefährten Hanns Schweickart und Aribert Wäscher)* (GG III)

174  JAKOB
Widmung: *(Dem Doktor Pagel)* (GG I), *(Dem Doktor Gerhard Pagel)*
(GG II/III)

175  JOSEPH WIRD VERKAUFT
ursprünglicher Titel: *Joseph* (1920)
früher Untertitel im Manuskript: *Karawanenballade*

176  PHARAO UND JOSEPH
Widmung: *(Dem Dr. Benn)* (GG I), *(Dem Doktor Benn)* (GG II/III)

176  MOSES UND JOSUA
Widmung: *(Dem Bischof Ignaz Jezower)* (GG)

177  SAUL
Widmung: *(Meinem blauen, blauen Reiter Franz Marc)* (GG)

177  DAVID UND JONATHAN
Widmung: *(Dem Senna Hoy)* (GG)

178  DAVID UND JONATHAN
   6  Ich hab so säumerisch die *kühne* Welt  (GG II/III, Ged I)
  7 a  *Doch hat mein Träumen sich nicht hold belohnt*  (GG II)
   8  *Da sie nun bunt* aus meinem Auge fällt,  (GG II)
     *Wie bunt sie nun* aus meinem Auge fällt,  (GG III, Ged I)
   9  *Durch deine* Liebe aufgetaut. (GG II, Ged I)
  14  Du Ring in meiner Lippe Haut, (Ged I)
     *Durch den ich wieder neu und scheu mich sehne...*
     (GG II/III, Ged I)

180  ESTHER
Widmung: *(Meiner geliebten Enja, der Ritterin von Hattingberg)*
(GG I/II), *(Dem Robert Schoepf)* (GG III)

180  BOAS
Widmung: *(Meiner unvergeßlichen Prinzessin Hellene von Soutzo)*
(GG)

181  RUTH
Widmung: *(Der Leila: Lucie von Goldschmidt-Rothschild)* (GG)

181  ZEBAOTH
Widmung: *(Ich schenke dieses Gedicht Helene, der lieben Prinzessin
von Soutzo)* (1916), *(Dem Franz Jung)* (GG)

182 SULAMITH
gleicher Text in etwas abweichender Anordnung der Verse (Styx) S. 25

## Konzert

187 ES BRENNT EIN FEIERLICHER STERN
ohne Überschrift eingefügt in das Prosastück *Konzert* nach:
*Ich glaubte eher zu sterben als mein Kind und hinterließ ihm der*
*Reliquie Vers:*

187 DAS WUNDERLIED
früherer Titel: *Mein Wunderlied* (1927)

190 GENESIS
frühere Fassung unter dem Titel: *Die Versuchung* S. 250

191 NEUGIERIGE SAMMELN SICH AM STRAND
ohne Überschrift als Abschluß des Prosastücks *Das Meer*

## Mein blaues Klavier

195 AN MEINE FREUNDE
zuerst im Anschluß an das Prosastück *Das heilige Abendmahl*
(Konzert)
7 Schon im Gespräch mit euch, *himmlisch Konzert,*
8 *Ruhe ich aus.* (Konzert)
18 Ich möchte innig mit euch *zungenreden,* (ebd.)
20 Sich die Liebe mischt mit *unserm* Wort. (ebd.)

197 AN MEIN KIND
späterer Titel: *Mein Kind* (Hebräerland)

202 DIE TÄNZERIN WALLY
Titel einer früheren handschriftlichen Fassung: *Charlotte Bara* (Kupper)
Widmung: *(Dem Doktor Rütters.)* (ebd.)

202 ABENDZEIT
nach der letzten Strophe ursprünglich noch eine weitere, die in zwei
Fassungen erhalten ist:
*Und weiß es nicht, ob meine Mutter mein...*
*Es war, die mir erschien im lichten Engelkleid...*
*Bald ruht mein Herz zeitlos im Immersein...*
*Geweihter Talisman für alle Ewigkeit.*

(in der von Klaus Mann herausgegebenen Zeitschrift »Die Sammlung«,
Amsterdam, Oktober 1933)
  *Und weiß es nicht, ob meine Mutter mein*
  *Es war – weit hinter allen Welten weit,*
  *Am Himmel hoch im Heiligenschein! –...–...*
  *Bald liegt mein Herz in ihrem Immersein*
  *Ein Talisman für alle Ewigkeit.*
(Handschrift im Nachlaß)

203  ICH LIEGE WO AM WEGRAND
     Widmung: *(Treulosen Freunden)* (DD)
     frühere Fassung in 5 dreizeiligen Strophen S. 253

204  DIE VERSCHEUCHTE
     Titel einer früheren Fassung mit Varianten: *Das Lied der Emigrantin*
     Der Erstdruck (1934) mit folgender zusätzlicher Schlußstrophe:
       *Und deine Lippe, die der meinen glich,*
       *Ist wie ein Pfeil nun blind auf mich gezielt...*

206  HERBST
     eine frühere Fassung ohne Überschrift als Abschluß des Prosastücks
     *Ernst Toller* (Nachlaß); ohne Varianten (außer in der Interpunktion),
     jedoch um eine Schlußstrophe verlängert:
       *Bald rosten alle Blätter der Alleeen...*
       *Und viele ihrer Früchte faulen auf den Seeen.*

208  ABENDS
     frühere Fassung unter dem Titel *Herbst* (1932), mit einer zusätzlichen
     Schlußstrophe:
       *Stürmische Wolkendepeschen*
       *Erschrecken den Weltenraum;*
       *Und die Beeren der Ebereschen*
       *Die winzigen Monde am Baum.*

209  UND
     ursprünglicher Titel in einem Manuskript im Besitz von Werner Kraft:
     *Hebräisch Volkslied. Auf der Cymbel zu singen.*

214  ICH SÄUME LIEBENTLANG
     Titel in einem Manuskript aus dem Besitz von Werner Kraft: *Der*
     *Apostel und die Dichterin*

215  AN MICH
     Vgl. die Strophe *Meine Freiheit* aus dem Nachlaß, S. 253

*Gedichte an und über Personen*

219   GEORG KOCH
      aus »Die weißen Blätter« (November 1919) (Kupper)

220   DIE SCHAUSPIELERIN
      Diesem Gedicht auf Tilla Durieux steht im »Berliner Tageblatt«
      (27. Juni 1920) (Kupper) folgender Text voraus:
      *Wer die Künstlerin ist, die Else Lasker-Schüler hier besingt, werden*
      *Theaterfreunde leicht erraten. Wir bringen sonst aus guten Gründen*
      *keine lyrischen Lobgesänge auf Mitglieder Berliner Bühnen. Da aber in*
      *diesem Fall Sängerin und Besungene Ausnahme-Erscheinungen sind,*
      *mag eine Ausnahme von der Regel einmal erlaubt sein. Die Redaktion.*

222   CARL SCHLEICH
      aus »Die Weißen Blätter« (September 1920) (Kupper)

223   MARIANNE VON WEREFFKIN
      aus »Der Querschnitt durch 1922. Marginalien der Galerie Flechtheim«
      (Kupper)

224   SIGISMUND VON RADECKI
      Dieses und die 2 folgenden Gedichte erschienen zusammen unter der
      Überschrift *Freunde* im »Berliner Tageblatt« (11. Juli 1924) (Kupper)

228   ERNST TOLLER
      aus »Die Weltbühne« (6. Januar 1925) (Kupper)
      Widmung: *Seiner Mutter* (ebd.)

229   HEDWIG WANGEL
      aus »Berliner Tageblatt« (13. Mai 1925) (Kupper)

230   FRED HILDENBRANDT
      aus »Die Literarische Welt« (1926) (Kupper), mit folgendem Vortext:
      *Wenn man den Namen seines vollendet geschriebenen Buches: »Tage-*
      *blätter« (Dr. Landsberg-Verlag), gelesen hat und die schlichten Lein-*
      *wanddeckel über die liebreichen ebenso wetterharten Essays schließt,*
      *möchte man den Dichter sehen, einfach sehen! Der legte keinen Wert*
      *auf äußere Pracht – wo so viele Sterne im Herzen seines Buches immer*
      *wieder von neuem aufgehen.*
      *Im Schlitten naht »Gösta Berling«, der wilde Kavalier, Selma Lagerlöfs*
      *majestätischer Sohn aus der Winterewigkeit. Es schneit zwischen Wort*
      *und Wort weiß und dicht auf die weiße Erde der Buchseiten. So atmet*
      *man die Frische der Erzählung lebhaft ein. Hildenbrandt streut: Frost*
      *oder prallende Sonne, auch milden Maienschimmer, feierlichen Weltzimt*

*über seine schwermütigen, leidenschaftlichen Schreibgebilde. Und mit flammendem Flügelschlag richtet er den erschütternden Brief an seinen Freund nach Guaquil. Aus den Fesseln der Zeilen befreit sich ein aufschnellender bunter Julivögelschwarm und erreicht die freie Welt, die der Lloyd seines Freundes durchquert.*

231 CARL SONNENSCHEIN
als Abschluß eines Gedenkaufsatzes über den »*großen Armenapostel und Dichter*« in »Konzert«

232 LEOPOLD KRAKAUER
erster Abdruck dieser Fassung in »MB, Wochenzeitung des Irgun Olej Merkas Europa« (2. Oktober 1959) mit folgendem Vortext:
*Im entzückenden Salon M. S. Schlosser-Glasbergs, »Cabinet of Arts«, Ben Yehuda Street 9, hängen an den weißen Wänden im Rahmen: Ewigkeiten! – zum Anschauen und zum Erwerben, Kohle- und Rötelzeichnungen von Leopold Krakauer, von »L. K.«, wie kurzerhand seine Gewereth Grete und sein Töchterchen und seine Freunde den ebenso bekannten Architekten wie Bergmaler zu nennen pflegen. Den einzig und allein berechtigten Maler und Zeichner der Berge; tief verwurzelten mit ihrem rostigen Steinboden hier zu Heiligem Lande.*

233 WERNER KRAFT
hier zum erstenmal vollständig aus der Handschrift im Besitz von Werner Kraft mitgeteilt. Die drei erwähnten Gedichte von Werner Kraft finden sich in dem als Privatdruck erschienenen Bändchen »Gedichte II« (1938, S. 26, 28, 35).

## *Ulkiaden*

235 ALFRED KERR
ohne Überschrift in »Die Aktion« (1. Mai 1911) (Kupper)

235 UND DER PAUL GRAETZ
aus »Konzert«

235 AN FRIEDRICH TORBERG
Von dem Empfänger zum erstenmal mitgeteilt in »Forum« (Juli/August 1960), wo auch die Mehrzahl der Anspielungen dieses Scherzgedichtes erläutert wird. Das Gedicht wurde ihm »*im ›Hinteren Sternen‹ übergeben, einem altrenommierten Zürcher Gasthaus... Auch Else Lasker-Schüler zählte zu den Stammgästen. Der Briefumschlag, in dem das Gedicht steckte, trug die Aufschrift: ›Dem Herrn Dichter Thorberg / Brief und teures Geschenk / Hinteren Sternen / bitte zu geben.*« Das erwähnte ›*teure Geschenk*‹ war ... eine bunte Schachtel mit Zündhölzchen.

*...Das Gedicht bezog sich auf ein scherzhaft geführtes Streitgespräch, das von einer falschen Schreibweise meines Namens ausgegangen war. Ich hatte irgend etwas darüber geäußert, daß ich auch als armer, verkommener Emigrant das Recht auf einen korrekt geschriebenen ›Torberg‹ besäße, und wollte von Else Lasker-Schüler wissen, was sie denn dazu sagen würde, wenn man ihren Namen etwa ›Lasker-Schiller‹ schriebe. Da sie mir diesen Vergleich übelzunehmen schien, entschuldigte ich mich am nächsten Tag mit einem Bußbrief, in dem ich ausführlich bewies, daß und warum es selbstverständlich nur ›Schüler‹ heißen könnte. Aus späteren Gesprächen weiß ich, daß mein Brief sie sehr amüsiert hat. In ihrer Antwort schrieb sie selbstverständlich wieder ›Thorberg‹ und, justament, sogar ›Thorquato‹.«*

237  ZWEI ULKIADEN
aus »Konzert«

### Verstreute Gedichte

243  VERWELKTE MYRTEN
Dieses Gedicht stellt, zusammen mit 2 anderen (*Sinnenrausch* S. 21 und *Volkslied* S. 38), Else Lasker-Schülers früheste Veröffentlichung (»Die Gesellschaft«, 1899) dar.

243  KISMET
Dieses und die folgenden 6 Gedichte erschienen zuerst 1900.

247  EIN GEIGENLIEDCHEN
aus der Handschrift zum erstenmal mitgeteilt von Margarete Kupper

248  O, ICH HAB DICH SO LIEB
erste Fassung (Juni 1914) des Gedichtes *O ich möcht aus der Welt*, siehe S. 131

249  ALS DER BLAUE REITER WAR GEFALLEN...
aus der Monatsschrift »Neue Jugend« (Februar/März 1917); darunter folgender Text:
*Tierschicksale, das wertvolle Bild von Franz Marc, ungeheures Vermächtnis, einen heiligen Kaiser ließ man unbewacht in einem Schuppen zur Weiterbeförderung stehen.*
Dazu die Fußnote der Redaktion:
*Das Bild wurde dort durch Brand beschädigt und von Paul Klee restauriert.*

249  DER HIRTE
aus der Monatsschrift »Das junge Deutschland« (1919)

250 DIE VERSUCHUNG
erste Fassung (»Die Weltbühne«, 1926) des Gedichtes *Genesis*, siehe
S. 190

250 DIE ERKENNTNIS
aus »Berliner Tageblatt« (18. September 1932)
Widmung: *Else Lasker-Schüler widmet dieses Gedicht ihrem verstorbe-
nen Freunde Heinrich Dehmel.* Heinrich Dehmel war Richard Dehmels
Sohn.

251 AM FERNEN ABEND
aus »Berliner Tageblatt« (14. August 1932) (Kupper)

252 WIR WELKEN LÄNGST WO ANGELEHNT
Abschlußverse des Prosastücks *Der Weihnachtsbaum* (Nachlaß)
frühere Fassung in »Berliner Börsenkurier« (25. Dezember 1935)

252 ICH SCHLIESS DAS FENSTER ZU
Schlußverse des Prosastücks *April* (Nachlaß)
in »Berliner Tageblatt« (16. November 1932) als Abschluß des Prosastücks *November* mit folgenden Varianten:
1 Ich schließ das Fenster zu; *betrübt* ist mein Gemüt...
2 Die *letzte* Drossel singt der *einzigen Beere noch* ihr Liebeslied.
3 Die Rosenstöcke *überwintern unterm* Moose in der Grube.
4 Ich *leide* mit den Stämmen ob des grünen Raubes;
5 Es labt sich stürmisch *der Novemberbube*
9 Jedwedes Nest mit seiner *späten* Brut.

252 MICH FÜHRTE IN DIE WOLKE MEIN GESCHICK –
Verse aus dem Nachlaß, denen ein kleiner Prosatext folgt
(Nachlaß S. 128/129)

253 MEINE FREIHEIT
aus dem Nachlaß; Niederschrift 1938 oder später; vgl. die Prosafassung
im zweiten Absatz des Abschlußtextes in »Mein blaues Klavier«, S. 215

253 ICH LIEGE WO AM WEGRAND ÜBERMATTET...
frühere Fassung des Gedichtes *Ich liege wo am Wegrand* (S. 203)

256 HÖR, GOTT...
Abschluß des Prosastücks *Die Seele und ihr Licht, Eine Psalmodie*
(Pariser Tageblatt, Nachlaß)

258 MEIN STERBELIED
aus dem Prosastück *Der Antisemitismus* (Nachlaß)

Als der Textteil dieses Bandes bereits gedruckt war, wurden in der Zeitschrift ›Die Weltbühne‹ (25. Januar / 23. August 1923 und 6. November 1928) die nachstehenden drei Gedichte aufgefunden, die den bisherigen Nachforschungen entgangen waren und die unter die späten Gedichte auf Personen einzuordnen wären.

## ARIBERT WÄSCHER

*Zur Zeit des Nazareners*
*War er ein starker Jünger.*

*»Arib«! So nenne ich meinen herrlichen Freund.*
*Tief religiös ist er.*

*Jedes Jahr pflückt er das Evangelium*
*Glitzernd vom Weihnachtsbaum.*

*Aber auch vergoldete Äpfel und Nüsse*
*Und Herzen aus Chocolade.*

*Freut sich darauf wie der fünfjährige Ari,*
*Der so viel Liebe von Mutter und Vater empfing.*

*Er sehnt sich noch immer nach süßen Beteurungen*
*– Der Riese.*

*Schlägt er die Fransen seiner Lider auf,*
*Wird es blaublaublau.*

*Sein Schritt auf die Bühne*
*Hob seinen Traum nicht auf, erhöhte ihn.*

*Seine Stimme wurde antik:*
*Ein Hektor in des Theaters Arena.*

*Tau im Klang, bebend vor Kraft,*
*Dennoch Zurückhaltung im Ausbruch bewahrt.*

*Wie vornehm spielte er den Holofernes;*
*Und nicht als ungeschlacht Raubtier.*

*Dabei freut sich niemand neidloser*
*Am Spiel des Andern wie mein Freund.*

Namentlich weiß er den Bassermann
Unendlich zu verehren.

Wie erst versteht er Freund zu sein
Dem Freunde brüderlich.

In der Passion saß Aribert zur Rechten Jesu,
Ein junger Petrus: Knecht und Wille zugleich.

Ergriff es mich mächtig, ich weinte,
Als er schlicht und entsetzt zu Ischariot sagte:

»Du wirst dir doch von unserm Herrn
Nicht die Füße waschen lassen!«

Dann — mit welchem Blutbeben
Er selbst seinen Fuß dem Rabbuni reichte.

Sehr oft wandeln wir beide
Durch die alte und neue Testamentwelt;

Und waren schon im Himmel einmal
— bei Gott.


## PAUL LEPPIN

Er ist mein liebster Freund,
Er ist der König von Böhmen.

Wenn ich von ihm spreche,
Lege ich mein Feierkleid an.

Gedenkt er meiner —
Spielen die Spieldosen im Schrank;

Oder die Uhr an der Wand
Schlägt eine tiefe Stunde.

Er läutet selbst und läutert,
Paul Daniel Jesus, ein junger Papst.

Sein Herz pilgert immer
Fromm in die Ewigkeit...

*Ganz einsam, aber in großen Zügen*
*Trinkt er die bittere Traube der Welt.*

*Sein Antlitz, ein schimmernder Totenkopf:*
*Die große Auferstehung.*

*Der erschafft aus einem Blutstropfen*
*Das Werk,*

*Und gibt ihm den Namen*
*Von seinem Gebein.*

*Paul und sein Sohn der kleine Ritter:*
*Ein Goldgemälde: Alter Meister,*
*Im Rahmen der Stadt Prag.*

ARTHUR HOLITSCHER

*Der große Abenteurer vom Jahre: 2000,*
*Der chinesische Maharadscha.*

*Am Zweig der Klugheit blüht*
*Der Aberglaube bis zum Duft.*

*Seinen Namen hat er versenkt*
*Ins Meer.*

*Seine Geburtsstadt liegt am Abhang*
*— wo im Traum.*

*Unheimlich spielt Meergrün mit Pupille*
*Im verhangenen Aug.*

*Sein Herz ist auch Juchten,*
*Ein Necessaire reisebereit.*

*Immer sitzt er auf Deck*
*Die Welle steigt: Champagner über seinen Kopf*

*Aber Dämmerung umhüllt seine Schulter*
*Monde spalten seinen Talar.*

*Undurchsichtig ist seine Stirn,*
*Anbetend das Licht Ghandis.*

*Die Wände seines Hauses, unbegrenzt,*
*Der Lloyd sein Monogramm.*

*Er landet jäh! Oft weltenüberdrüssig;*
*Den treusten Freund trifft dann sein Speer.*

*Immer aber voll Bewunderung*
*Raunen Menschen wie Wälder um ihn.*

*Die Frauen liebt er rätselhaft:*
*Ein artiger Pagodengötze.*

*Sein Freiheitskampf aber färbt*
*Die Erdkugel sprießend.*

*Hängt seine Seele auch an träumender Stunde*
*Blutsverwandtem Abendrot –*

*Majestätischer Genosse dem Genossen*
*Sein Wort birgt eine Volksdemonstration.*

*Ein Dichter, der dem mühselig Beladenen*
*Den reichen Inhalt seines Lebens reicht.*

# INHALTSVERZEICHNIS

## Styx

## (zweite Fassungen)

## Der siebente Tag
### Das Peter Hille-Buch

### Die Nächte Tino von Bagdads

## Meine Wunder

## Meinem so geliebten Spielgefährten Senna Hoy

## Meinem reinen Liebesfreund Hans Ehrenbaum-Degele

## Gottfried Benn

## Hans Adalbert von Maltzahn

### Paul Leppin

### Der Wunderrabbiner von Barcelona

### Gedichte an Freunde

### Meine schöne Mutter blickte immer auf Venedig

## Hebräische Balladen

## Konzert

## Mein blaues Klavier

## Gedichte an und über Personen
### Einige Ulkiaden

## Verstreute Gedichte
### Verse aus dem Nachlaß

## Theben

## Anhang

# VERZEICHNIS DER GEDICHTE
## NACH ÜBERSCHRIFTEN UND ANFANGSZEILEN